内田聖子

デジタル・デモクラシー

ビッグ・テックを包囲するグローバル市民社会

地平社

まえがき

「邪悪になるな。私たちは、長期的に見れば、短期的な利益を多少犠牲にしても、世界のために良いことをする会社のほうが、株主として、またその他のあらゆる意味で、より良い結果をもたらすと強く信じている」

一九九八年、セルゲイ・ブリン氏とラリー・ペイジ氏によって創業されたグーグルの初期の行動規範にはこう書かれた。インターネットによって世界中の人々が情報を共有し交流することで、より幸福な社会が実現するという、グーグルの目標を表す言葉として広く知られる。

しかし行動規範はその後何度か改訂され、二〇一八年には「邪悪になるな」の文言は削除されてしまう。ユーザーの追跡、「監視広告」と呼ばれるターゲティング広告、従業員の不当解雇、租税回避など、グーグルの行為は「邪悪になるな」とのスローガンに反しているとの批判が高まりつづけたことが背景にある。

グーグルの自己矛盾と変節は、まさにこの二十数年間に世界で起こってきた、ビッグ・テック(巨大ＩＴ企業)による壮大なビジネスモデルの構築の歴史そのものでもある。一方でそれは、確かに便利さと快適さを私たちにもたらしている。インターネットを介したモノやサービスの購入、スマートフォンに実装された無数のアプリ、ＳＮＳによるコミュニケーション、未知の可能性を持つ生成ＡＩ――。いずれも単なるツールという範疇を超え、社会にとって必要不可欠のインフラとなった。

しかし他方、ビッグ・テックが牽引するデジタル経済モデルのなかで、国家権力による監視・管理、プライバシーなどの人権侵害、偽情報やフェイクニュースの蔓延、差別や貧困の再生産がすでに多数起こっている。また「大きすぎてつぶせない（too big to fail）」と言われるほど巨大になったビッグ・テックの存在によって、公正な市場が棄損され、独占と支配の構造がより強化されてもいる。

こうした事実に私たちはあらためて目を向け、デジタル化は何のためになされるべきか、技術はどうあるべきかを考える必要がある。その際、ＧＡＦＡ（グーグル、アップル、フェイスブック＝メタ、アマゾン）の批判だけをしていても不十分であり、投資家、産業界、ロビイスト、また国策としてデジタル政策を進めてきた政府、利用者・消費者など、私たち自身を含む多数のアクターが現状のデジタル資本主義の構造に関わり、加担していると認識することが必要だ。

デジタル化の究極の目的は、民主主義の深化にこそあるべきで、決して利便性や効率性そのものにあるわけではない。誰かの人権を侵害したり、現状の格差を拡大したり、特定の誰かだけが不当な利益を手にするようなデジタル化であれば、私たちはそれを批判し、距離をとり、場合によっては拒絶しなければならない。さらに、民主主義を通じて企業の行動や市場を適正に規制する方法や、公正で倫理的な技術のあり方を、私たち自身が具体的に構想していかなければならない。本書の一番の目的は、この議論の道を見つけることにある。

こうした提起は、何か壮大で抽象的なものに聞こえるかもしれない。だがすでに世界では二〇年以上前から、市民社会が中心となってこれらの運動を実践している。国家による監視への抵抗、ビッグ・テックの監視広告への反対、オンライン・プラットフォームで働く労働者による組合活動、消費者（特に子どもや若者）がオンライン・ゲームやSNSによって精神的ダメージを受けないよう規制を求める運動、さらに気候危機や経済正義の立場からの運動もある。研究者や技術者などもここに加わる。近年、欧州で相次いで策定されているEU一般データ保護規則（GDPR）やデジタル・サービス法（DSA）など一連の立法の背景にも、市民社会の粘り強い運動の蓄積がある。こうした運動はどうしても先進国の市民社会が主導する傾向があるが、「グローバル・サウス」と呼ばれる途上国・新興国の市民社会も活発だ。ここには、子どもや高齢者、障害者、女性、黒人、先住民族などこれまで社会的に疎外されてきた人々の視点も当然含まれている。

残念ながら日本においては、ビッグ・テックによるビジネスモデルやデジタル社会の負の側面についての批判的考察が非常に弱く、ましてや世界各国のNGOや労働組合、独立系のシンクタンクや専門家、学生、弁護士、地域コミュニティなどが協力してこの課題に果敢にチャレンジしている実態はほとんど伝えられない。また市民社会による調査や政策提言のキャパシティも限られていることを痛感する。

こうした問題意識から本書では、ビッグ・テックやデジタル社会に関する多様な課題に取り組む世界の運動や提言を、可能なかぎり紹介することに努めた。本書全体を通じて扱った団体や運動の数は七〇以上にもなった（巻末資料参照）。私自身、NGOの立場で貿易協定や国際的なデジタル政策について、海外の市民社会組織の仲間たちと調査や政策提言活動を続けてきたが、彼・彼女らの知見や論点、具体的な実践事例などを日々学んでいる。それらをぜひ日本のみなさんとも共有し、日本でも同じような市民社会の運動と言論、政策のスペースを広げたい。これが本書を書くにあたってのもう一つの目標である。

最後に、「デジタル・デモクラシー」という言葉を検索すると、ヒットする内容はほとんどが「インターネット選挙」や「電子議会」などを意味する。しかし本書が意味する「デジタル・デモクラシー」は、力（パワー）を持つビッグ・テックと彼らが構築した搾取的で不公正な経済モデルに対し、人々があらゆる手法やアイデア、運動を通じて抵抗し、民主的で倫理的な対案を生み出そうとしている、まさにそのプロセスを指す。世界の人々の運動とその力を、みなさんに感じ取っていただきたい。

デジタル・デモクラシー——ビッグ・テックを包囲するグローバル市民社会…………目次

第1章

〈わたしの顔〉を取り戻せ！

(cc) Johnny Silvercloud

二〇一五年一一月、米国での「ブラック・ライブズ・マター（BLM）」運動のデモ。監視技術を使った警察の不当な捜査への批判も高まった

全米初の顔認識の使用禁止条例――サンフランシスコ市

「健全な民主主義と顔認識は相容れません。住民は、監視技術に関する決定に発言権を持つべきです」[*1]

二〇一九年五月一四日、カリフォルニア州サンフランシスコ市監理委員会（市議会に相当）は、市の公共機関による顔認識技術の使用を禁止する条例案を可決した。カリフォルニア州といえばグーグルやフェイスブック（現メタ）、ウーバー、ツイッター（現X）など巨大IT企業がひしめくシリコンバレーを有する。ビッグ・テックのお膝元の自治体で生まれた、米国でも初となるこの条例は、全米そして世界の注目を集めた。

冒頭の発言は、条例づくりに尽力してきたアメリカ自由人権協会（ACLU）[*2]北カリフォルニア支部のマット・ケイグル氏によるものだ。弁護士でもある氏は、「顔認識技術は、人々の日常生活を追跡するという前例のない力を政府に与えるものです。今回の条例は、この危険な技術の拡大を防ぐための実に前向きなものです」と成果を語った。

私たちの身体や行動の特徴を用いて個人を識別する技術は、「生体認証（バイオメトリクス）」と呼ばれる。指紋はその最も古いものだが、近年は顔認識や掌紋（手のひら）、静脈、音声（声紋）、目の虹彩、眼球血管、耳形（耳介）、耳音響、そしてDNAと、その範囲は驚くほど広がっている。すでに世界各地で、パソコンやスマートフォンのロック解除や銀行決済、国際空港やスタジアムなどで実用化されている。

顔認識技術の用途は、①本人同意に基づき一対一の照合が行なわれる場合（パソコンやスマートフォンのログイン、空港のゲート、ビルの入退館など）、②警察などが事前に犯罪容疑者の顔写真のデータベースを作成したうえで、犯行現場などで取得した容疑者の顔と照合する場合、③公共空間などで本人の同意なく不特定多数の人の顔を監視カメラなどで入手し、管理する場合（警察による収集や、企業による顧客分析など）だ。特に③の用途におけるプライバシー侵害が懸念となっている。

サンフランシスコ市議会は、条例可決にあたり次のように結論づけた。

「監視技術はわれわれのプライバシーを脅かす可能性があり、監視の取り組みは、歴史的に人種、民族、宗教、国籍、収入、性的指向、政治的見解によって定義されるものも含め、特定のコミュニティやグループへの威圧のために用いられました。顔認識技術が市民の権利や自由を危険にさらす傾向は、その主張されている利益よりもはるかに大きく、人種的な不正義を悪化させ、継続的な政府の監視から自由に生きる私たちの能力を脅かします」

条例[*3]は、市の公共機関が顔認識技術によって情報を取得し、保存し、アクセスすること、またその使用を違法とした。これにより、市の警察や交通当局、法執行機関は顔認識技術を使えなくなる。ただし企業や個人、連邦政府機関には規制は及ばないため、国際空港や連邦政府の法執行機関による顔認識技術の使用は禁止できない。

条例案を提案したアーロン・ペスキン市議は、「サンフランシスコ市は、ＩＴ産業の本拠地であるからこそ、その行き過ぎを規制する責任があるのです」と語った（『ニューヨーク・タイムズ』二〇一九年五月一四日）。

監視国家化してきた米国

米国で生体認証技術が急速に拡大する契機は、二〇〇一年の9・11だった。当時のブッシュ政権は、米国にとって「危険」とされるあらゆる人物をスクリーニングし、逮捕・排除する方針をとり、そのための技術開発に巨額を投じた。創業まもないグーグルやフェイスブックは、この政策に沿った形で資金を得ながら、後に監視技術の重要部分を担う数々のアプリやＡＩのアルゴリズム（計算式や計算方法）を開発し、現在の圧倒的優位な地位を得た。顔認識ソフトウェアを開発するクリアビューＡＩ社や、ビッグデータ分析を強みとするパランティア社など生体認証技術に特化した企業も急成長した。アマゾンも二〇一六年に独自の顔認識ソフト「レコグニション」を開発し、警察はじめ政府・自治体へ販売を拡大してきた。

これら監視産業の台頭は、警察や法執行機関の捜査方法を変化させると同時に、米国社会に大きな影を落としていく。顔認識、ドローン、ナンバープレート・リーダーなどを通じて大量のデータが収集されるなかで、警察当局による市民活動家の監視や運動への弾圧、移民への過剰な拘束・管理が顕著になってきたのだ。

筆者は米国の活動家の友人から次のような話を聞いたことがある。

二〇一一年九月、「ウォール街を占拠せよ」運動が起こった際、彼はミズーリ州セントルイスでデモに参加した。仲間から「警察に写真を撮られないよう、顔をバンダナで隠せ」と言われたが、そのようにはしなかった。警察は参加者を撮影していたが、特に気にしていなかった。

それから三年後の二〇一四年八月、セントルイスの隣町のファーガソンで、警察による黒人射殺事件が起こると、各地で抗議行動が展開された。いわゆるファーガソン暴動である。彼はここでもデモに参加したが、何度も警察から呼び止められ、あれこれ質問された。

「警察は自分を特定して調べているようだった。自分の顔、そしてすべてが盗まれ、勝手に取り扱われているような……。監視技術のせいではないかと思った」

実際、デモが始まる時期には、セントルイス市警は「リアルタイム犯罪センター」と呼ばれる監視拠点（データセンター）の準備を進めており、二〇一五年五月に同センターが開設されている。ここには、ナンバープレート・リーダーや銃声を検知して位置を特定するセンサー、市内に設置された監視カメラなどの技術によって集められた情報が集約され、警察が利用していた。

トランプ政権でさらに深刻化した監視体制

多くの活動家や市民の抱く懸念は、二〇一六年のトランプ大統領登場によって現実の脅威へとはっきり変わった。大統領は何百万人もの不法移民を特定して強制送還し、イスラム教徒を追跡し、さらに積極的に有色人種のコミュニティを取り締まることを政策に掲げた。最新技術を駆使した監視は強化され、米国移民・関税執行局などの連邦機関と警察が監視データを秘密裏に共有することも容易に行なわれるようになった。

その影響を直接受けてきたのが、黒人・有色人種、移民のコミュニティだった。とりわけ、「ブラック・ライブズ・マター（BLM）」運動のメンバーに対する警察当局の監視と弾圧は執拗に繰り返されてきた。BLMは、二〇二〇年五月のジョージ・フロイド氏殺害事件で全世界に知られるようになったが、運動の始まりは二〇一三年七月にまで遡る。アフリカ系アメリカ人の少年が自警団員に射殺された事件で、加害者は無罪判決となった。これに対し活動家のアリシア・ガーザ氏らが呼びかけ、大規模な抗議運動へと発展してきた。*4

たとえば二〇一五年、米国国土安全保障省は、BLMメンバーのSNSのアカウントを監視し、ファーガソン、ボルチモア、ニューヨークにいるメンバーの居場所や平和的な抗議行動の計画を収集していた。また同年、カリフォルニア州フレズノ市の警察は、複数のSNS監視ツールを用いて「#BlackLivesMatter」「#dontshoot」などのハッシュタグを監視し、個人ごとに「脅威レベル」を割り当てていたことも判明している。オークランド市では警察がアフリカ系やラテン系のアメリカ人の居住区でナンバープレート・リーダーを使用するケースが多発。人口の大半をアフリカ系アメリカ人とヒスパニック系が占めるコンプトン市では、警察が高精度の監視カメラを搭載した飛行機を、一般市民への公表も同意を得ることもせず、数週間にわたって上空を飛行させていた。

多くの法執行機関は、犯罪行為を疑う正当な理由がないかぎり、政治活動および米国憲法修正第一条で保護された表現の自由、報道の自由、平和的に集会する権利などの活動についての情報収集を禁止されている。しかし実際には、有色人種だからという理由だけで、これまでも監視は横行してきた。

二〇一五年、米連邦捜査局（FBI）はカリフォルニア州サンバーナーディーノ市での銃乱射事件の容疑者が使用していたアイフォンのロック解除をアップル社に要請したが、同社は拒否。これをめぐり「FBI対アップル」の対立は法廷闘争にまで及び、大論争を引き起こした。

この時、BLMメンバーや人権活動家、ネット監視に反対するグループ、アーティストたちはアップルストアやFBI本部前で何度もデモを行ない、アップルがFBIの要請を安易に受け入れてしまえば、有色人種への監視がすべての人の監視へと及ぶ危険があると訴えた。

「歴史のなかで最も憂慮すべきことの一つは、監視が、自分たちの正義を主張する黒人たちに対して悪用されてきたことです。彼らの信用を落とし、虐待し、投獄するために使われてきたのです」（BLM共同代表のオパール・トメティ氏）

「有色人種に対するありふれた監視が、連邦レベルでの大規模な監視を生み出すのです。その逆はありません。私たちのコミュニティで普通だとされてきたことが、今、連邦レベルでも普通のものにされようとしているのです。基本的に、憲法修正第一条と第四条の権利を守るためには、法律をデジタル時代に合わせてアップデートする必要があります」（詩人で「メディアの正義のためのセンター」のメンバーであるシリル氏。傍点は引用者）

次々と広がる顔認識禁止条例——コミュニティの力

各地で高まる監視技術への怒りと不信は、巨大な監視権力装置に対する民主主義的な統治を求める声に進化した。しかも、その主体となるべきは、地域コミュニティの運動をベースにした自治体の力であるとの方向性がとられたことに最大の意義がある。住民・自治体によるビッグ・テックへの抵抗運動だ。

二〇一六年四月、ACLUカリフォルニアは、「監視技術についてより良い決定を——コミュニティの透明性、説明責任、監督のためのガイド」[*5]というレポートを公開した。これは、監視技術の禁止を前面に押し出したものではなく、むしろ決定から導入、財源、運用までのプロセスを透明化し、住民がチェックできるための行動マニュアルだった。多くの自治体で、人々は監視技術の危険性について知らされないばかりか、いつどこで導入が決まったのかもわからない、ブラックボックスの状態だったからだ。

「私たちのコミュニティでは監視が増えています。これらの多くは、市民との話し合いや、費用対効果の検討、権利を保護するための政策がないまま進められています。住民への透明性、説明責任が必要です。そうしないと、市民の信頼はすぐに損なわれ、地域社会は、侵襲性が高く、高価で、地域の安全を確保する効果が低いシステムを抱え込むことになりかねません」（ＡＣＬＵレポートより）

この後の二〇一六年九月には、「警察による監視をコミュニティが統制しよう（ＣＣＯＰＳ）」[*6]という全国キャンペーンが開始された。監視技術の使用の是非や使用方法を規制する権限を議会に与えるＣＣＯＰＳ条例・法を自治体で成立させるための運動だ。ここには、ＡＣＬＵのほか、電子フロンティア財団（ＥＦＦ）、民主主義と技術のためのセンター（ＣＤＴ）、「未来のための闘い（Fight for Future）」などの技術と民主主義・人権を課題とする団体に加え、アラブ・アフリカコミュニティ全国ネットワークなど多数の組織が参加し、各地で集会やロビイングを行なってきた。

全米各都市で規制条例が誕生

この取り組みが下地となって、サンフランシスコ市の顔認識技術禁止条例の実現へと運動は発展していった。各地で急速に導入される顔認識技術に対して、「禁止」という強いカウンターを早急に打ち立てる必要もあった。

サンフランシスコ市条例制定運動には、実に多様な層が参加した。移民コミュニティの活動家、弁護士、大学生、ホームレス支援団体、貧困層への住宅支援団体、そして自治体議員だ。地域では顔認識技術をめぐり賛否が分かれる。「治安が良くなるのなら受け入れる」という声は根強く、企業経営者も賛成の場合が多い。こうしたなか、運動は分野を超えて協力し、住民の説得を続けてきた。

同市の条例可決以降、他の自治体も続々と同内容の条例を可決していった。

二〇一九年六月にはマサチューセッツ州サマービル市議会が顔認識技術の禁止条例を可決した。九月にはオークランド市、一〇月にはバークレー市、一二月にブルックライン市、ノーザンプトン市、二〇二〇年一月にはケンブリッジ市などだ。二〇二三年末時点で、全米で二三の自治体（州を含む）が何らかの形で顔認識を禁止・規制している。

二〇二〇年九月に可決されたオレゴン州ポートランド市の条例は一つの転換点となった。それまでの市条例は、市当局による顔認識技術の使用禁止にとどまっていたが、同市の条例は、公共施設での民間事業者による使用も禁止したのだ。民間企業に対する使用禁止を定めた条例は全米初である。しかも銀行や交通機関など公共性の高い施設のみならず、店舗やレストラン、ホテルなどの商業施設を含む市内すべての公共施設に適用される。

さらに象徴的な意味を持つ自治体が、ミネソタ州ミネアポリス市だ。同市は二〇二〇年五月、ジョージ・フロイド氏が殺害された場所である。ＢＬＭ運動の世界的な拡大と並行して、同市の市民は顔認識技術の使用禁止条例を強く、切実に求めてきた。そしてついに、フロイド氏の死から約九カ月後の二〇二一年二月、ミネアポリス市議会は顔認識を禁止する条例を全会一致で可決した。自治体・コミュニティの力を中心に据えた米国市民社会の運動の底力だと言えよう。

自治体の禁止条例はさらに多分野に影響を与えている。たとえばコンサート会場での生体認証に反対するミュージシャンやアーティストは、企業や政府に使用禁止を訴えてきた。二〇二一年一一月、二〇〇人以上のミュージシャンらと三〇の人権団体は、コロラド州のレッドロック野外劇場での「アマゾン・ワン」という掌紋による入場管理システムの廃止を主催者や会場に求めた。二〇一九年以降、四〇以上の主要な音楽フェスティバルが、こうした要請に応じている。

多くの企業が顔認識技術の正確さをアピールし、政府や自治体に売り込むなか、研究者・技術者による調査研究も懸念点の提示に貢献してきた。

二〇一八年二月、マサチューセッツ工科大学のジョイ・ブオラムウィニ教授と、当時マイクロソフトの研究者だったティムニット・ゲブル氏は、市販の顔認識システムが持つ性別や人種のバイアス（偏見）に関する調査をした。マイクロソフト、ＩＢＭ、中国のメグビー社の顔認識システムを対象とした論文「ジェンダーの陰――商業的な性別分類における交差的な精度の格差」[*7]は、衝撃的なものだった。

ＩＢＭ製品では、肌の色が明るい（＝白人）男性より、肌の色が濃い（＝有色人種）女性のほうが性別の分類精度が三四・四ポイントも低かった。この結果は、各社が掲げる「高い精度」という主張を明確に否定するものだった。

ＡＣＬＵは二〇一八年七月、アマゾンの顔認識サービス「レコグニション」を利用して、犯罪者の顔写真二五〇〇〇枚を米連邦議会議員の顔写真と比較した。その結果、なんと二八人もの国会議員が「逮捕歴のある人物と似ている」と判断された。これらの調査は、顔認識技術の神話を突き崩し、差別やプライバシーと技術をめぐる問題を社会に投げかけてきた。

企業も対応を転換、闘いの舞台は連邦議会へ

拡大する運動は企業の対応をも変化させてきた。

二〇一八年六月、米国の市民団体らはアマゾンに対して顔認識システムの政府への販売中止を求める署名を提出した。トランプ政権の移民取り締まりに同社が加担しているとして、「アマゾンは市民権と市民的自由のために立ち上がれ！」と求めたのだ。一五万人以上の署名のほか、同社の株主からの書簡も提出されたが、アマゾンはこれを無視し、通常のビジネスを続けていた。

ところが、ジョージ・フロイド事件直後から、監視技術企業は次々と顔認識ビジネスからの「撤退」や「一時停止」を表明する。まずは二〇二〇年六月、ＩＢＭが「集団監視や、人種を観点にした分析、基本的な人権や自由の侵害のほか、われわれの価値観や、信頼と透明性の原則に一致しない目的のために利用される、あらゆる技術の利用に断固として反対するとともに、その使用を許容しない」と、国会議員に宛てた書簡で表明した。その翌日にはマイクロソフト社が「連邦法で規制されるまで警察へのシステム販売を中止する」と発表。そしてアマゾンも六月一〇日、「警察による顔認識システム使用を一年間猶予する」と発表したのだ。これは三社のうち最も「小さな譲歩」にすぎないが、同社は政府への技術提供企業の最大手であることを考えれば、影響は大きい。

ＡＩ研究者で、顔認証技術の不正確さに関する研究を行なってきたデボラ・レイジ氏は、「アマゾンが人種差別をめぐる現状に対応する形で、今回の発表をしたのは信じられないことです。人々の力を物語っています」と語った。

しかし、現実はもちろん厳しい。運動の成果がある一方、世界中で監視技術は導入されつづけ、企業は利益を得ている。投資家は生体認証のスタートアップ企業に多額を投資し、市場は活況を呈している。

生体認証産業のリサーチ機関「ファインド・バイオメトリクス」によれば、顔認識システムへの民間投資は二〇一四年頃から増加し、二〇一六年に五億四八三〇万ドル、二〇一八年には二五億ドルにまで急増した。しかしこれをピークに二〇一九年は八億四三九〇万ドル、二〇二〇年には六億二二五〇万ドルと落ち込んでいた。ところが、二〇二一年に入り投資は再び増加に転じた。別の調査では生体認証システム市場は二〇二二年の四二九億ドルから二〇二七年までに八二九億ドルまで成長すると予想されている。これを牽引するのは、政府調達部門ではなく企業や個人のデバイスに搭載する技術だ。スマートフォンのロック解除などすでに「モバイル生体認証」が当たり前のようになったが、それ以上の技術——カメラで集めた映像から性別、年齢、その人の感情や興奮状態などが分析されるなど——も実装されつつある。何らかの技術を封じてもまた新たな技術が登場するだろう。

しかし、このかんの顔認識禁止条例を求める運動は、確実に次のステージへと状況を推し進めてきた。

二〇二一年六月、米国上院・下院は、顔認識およびその他の生体認証技術の使用を、税関・国境警備局を含む連邦政府機関に対して禁止する「顔認識および生体認識技術モラトリアム法案」を提案した。二〇二〇年時点で準備されていたが未審議のまま先送りされ、再提出された形だ。

法案に対し、業界団体は猛然と反対している。セキュリティ産業協会は、トランプ時代に高まった人々の不安や不満に訴える形で論陣を張る。たとえば、法案が通れば「一月六日に米国連邦議会議事堂を襲撃した人物の特定」「重要な状況下でのテロ対策捜査の支援」などの合法的行為がもたらす利点までもが脅かされると主張する。

顔認識技術への規制をめぐる議論の舞台は連邦議会へと広がり、大きな注目を集める法案の一つとなっている。二〇二三年末までの間に、以下のような連邦法案が提出されてきた（可決に至らなかったもの、審議中のものも含む）。

- 「顔認識および生体認証技術モラトリアム法」（二〇二〇年）[*8]
すべての連邦機関による顔認識ソフトウェアの使用を禁止する内容。四人の民主党議員によって提案。二〇二三年三月に再提案。
- 「警察活動におけるジョージ・フロイド正義法」（二〇二〇年）[*9]
ボディ・カメラ（身に着けたカメラ）での顔認識の使用禁止を求める。バイデン大統領は、二〇二一年五月二五日のジョージ・フロイド氏の命日に先立ってこの法案が可決されるよう求めた。
- 「合衆国憲法修正第四条は非売品法」（二〇二一年）[*10]

超党派の一八人の上院議員が提出した法案で、政府がサービス利用規約に違反する技術販売者と協力することを制限する。

● 「二〇二二年顔認識法案」[*11]

民主党議員が提出。法執行機関による顔認識技術の使用に強い制限と禁止を設ける。

逆風――企業と警察による〝巻き返し〟作戦と、分断される世論

こうして顔認識を含む監視技術への規制の流れは、二〇一八年から二〇二一年頃にかけて、米国で無視できないほどの潮流をつくりだした。しかしその後、この動きは大きな壁にぶつかることになる。

デジタルの権利を求める市民団体「未来のための闘い」[*12]によると、二〇二〇年末に約一八の自治体・州が警察や自治体による顔認識を禁止する条例・法を可決。翌二〇二一年には五つの自治体も加わった。しかし、その後の二〇二二年と二〇二三年にはその数はゼロであった。逆にいくつかの自治体では、定められた禁止措置が部分的に撤廃されるなど、これまでの動きを巻き戻すものもあった。

その背景にはいくつかの理由がある。まずは顔認識技術自体が「改良・改善」され、これまであったような誤認識が減少したというものだ。もちろん一〇〇パーセントの正確性はありえ

ないが、技術を提供する企業はこの改善を大きくアピールしている。次に、禁止・規制の動きを警戒するようになった企業側は、規制案を検討している自治体・州にロビイストを送り込み、議員や行政に「犯罪防止のためにいかに顔認識技術が有益か」を必死にアピールしはじめた。さらに、人々の側の意識にもギャップがある。人権やプライバシー保護のため顔認識技術の禁止を求める声は根強い一方、相次ぐ犯罪を目の当たりにするなかで、積極的に監視技術の導入を求める世論は存在しつづける。またトランプ大統領の誕生の頃から顕在化してきていた差別や排外主義的な言説は、監視技術の導入に「根拠」を与えた。

こうした要因が重なり合い、顔認識禁止を求める運動は苦境を迎える。マサチューセッツ工科大学が所有するメディア『ＭＩＴテクノロジー・レビュー』誌は二〇二三年七月、「米国の顔認識規制はいかにして政治的停滞に陥ったか」と題した記事を掲載し、顔認識の禁止の流れは「敗北」の事態に至ったと断じた。[*13]

しかし、地域で人権侵害の実態と向き合い、問題提起を続けてきた草の根の運動が消えてなくなることは決してない。難しい課題は、規制案への賛否が分かれた際に「妥協」を強いられることだ。顔認識技術の規制を求める市民側は、「全面的な禁止」を原則的に主張することが多い。一方、警察当局や企業側は「一切規制しないこと」を望む。アメリカン大学ワシントン法科大学のアンドリュー・ガスリー・ファーガソン教授は、「(顔認識技術の)『廃止』と『一切規制するな』という主張の戦いが、規制の不在を招いている」と指摘する。[*14]

また警察や自治体など公的機関による顔認識の規制を求める運動が必要であると同時に、それ以外の公共空間での使用についての問題もある。二〇二二年一二月、ニューヨーク州の弁護士ニコレット・ランディ氏が、マディソン・スクエア・ガーデンで行なわれたマライア・キャリーのクリスマスコンサートにて、警備員から入場を拒絶された。高額のチケットを購入していた彼だが、顔認識技術が彼を「入場させてはいけない人物」と識別したのだ。民間が管理するスペースでのトラブルは米国で複数のケースがあるが、特にこの件で顔認識技術の是非をめぐる議論が再燃した。こうした課題を含め、人々は議論を重ね戦略を練り直し、運動の輪を広げつづけている。

日本では顔認証技術が次々と導入

この一〇年、米国市民社会は監視技術がもたらす民主主義や人権への侵害と全面的に闘ってきた。日本はどうか。残念ながら、逆の方向に進んでいると言わざるをえない。

日本での顔認識技術は二〇一〇年頃から広がっていった。最近では、たとえば東京都の大手書店三店が、万引防止のために顔認識カメラを設置し、そのデータを三店で共有する「渋谷書店万引対策共同プロジェクト」が二〇一九年に始まっている。個人情報保護法には抵触しないとして導入されたが、情報漏洩や誤認識によるプライバシー侵害をめぐる議論は深まらないままだ。

二〇二一年七月には、JR東日本が主要駅の安全対策として、顔認識技術を用いて指名手配中の容疑者や刑務所からの出所者・仮出所者を駅構内で検知する仕組みを導入していたことが『読売新聞』の報道によって明らかになった。データベースに容疑者等の顔写真を登録しておき、カメラで撮影した不特定多数の人の顔とその写真を一致させるという仕組み（顔識別）だ。だが、たとえば出所者までも「安全上の懸念」として検知されるのは人権侵害に当たるのではないか。無関係の市民が誤認識された場合も、当然、人権侵害に当たるだろう。さらに撮影された映像のうち分析される対象として「駅構内をうろつく人」など曖昧なものも含まれていたことなどから、大きな批判が起こった。するとJR東日本は「社会的なコンセンサスが得られていない」として、出所者・仮出所者の登録は当面停止すると発表した（指名手配者や不審者を対象とした運用は継続）。世論の反発を受けての苦しい対応と言えるが、これで問題は解決したのだろうか。JR東日本の行為は、現状の法律上は「合法的」であり、同じことが他の公共空間で行なわれる可能性は十分ある。

この件の直後の九月一六日、日本弁護士連合会は「行政及び民間等で利用される顔認証システムに対する法的規制に関する意見書」[*15]にて、「未だに、顔認証データベースやこれを利用して照合する顔認証システムに関し、高度のプライバシー侵害性等に配慮する法律は制定されていない。むしろ警察による顔認証データベースや顔認証システムの利用が進んだばかりか、これらの利用が他の行政機関や民間にまで拡大している」と懸念を表明し、厳格な法制定などを提言している。日本では現在、顔認識技術を公共空間で使うことに関する法律や社会的な合意もない。

二〇二三年三月、日本政府の個人情報保護委員会は、防犯カメラの画像から個人を特定する顔識別データの利用について、有識者検討会（座長・宍戸常寿東京大学大学院教授）がまとめた報告書案を公表した。[*16] ここでは、個人情報保護法が定める利用目的の明示などを事業者に求める一方で、データを収集する対象者の範囲や保管期間については、必要最小限とするよう努力を促す内容にとどまった。こうした状況からしても、米国の経験を参照しながら、私たちも生体認証とプライバシーをめぐる議論を深める時ではないだろうか。

ビッグ・テックによるかつてない経済体制を「監視資本主義」と論じたショシャナ・ズボフ教授（ハーバード・ビジネススクール名誉教授）は、「監視産業は二〇〇〇年からの二〇年、法や規制が追いつかない空間で自由を謳歌してきた」と指摘する。[*17] まるで、植民者が先住民を無視して「ここは私たちの土地だ」と宣誓し、自らのルールを構築したようなものだ、と教授は例える。

しかし今、その空白の二〇年間を埋めるように、米国市民社会は監視技術を生み出す企業と政府・自治体に対しＮＯを突きつけている。コミュニティの力によって巨大な力を押し返そうとする運動は、前進と後退を繰り返しながら一歩ずつ成果をあげてきた。監視技術の弊害は常にマイノリティへと向かい、人々を分断し民主主義を後退させてきたことを考えれば、ビッグ・テックとの闘いが、民主主義を求める運動の中心課題に据えられるのは当然だろう。

これを「いたちごっこ」と冷笑することは簡単だ。しかし、それすらできない社会には、ビッグ・テックと人々との力関係を変革することなど不可能だろう。欧州で「忘れられる権利」が登場したように、私たちは既存の法律の枠組みにはまだ存在しない、「デジタル時代の人権」概念を創り、育てていく必要もある。

闘いはまだ始まったばかりだ。

第2章

監視広告を駆逐せよ

(cc) The Pancake of Heaven!

シリコンバレーにあるグーグル本社

私たちは、選好や行動パターンを暴かれ、幾多のモデルでランク付けされ、分類され、採点されている。そうやって確立された基本情報をもとに、個人に「適合する」広告が表示される。そして、多くの人が産業の餌食になっている。大きな需要を抱える人々がピンポイントで狙われ、偽の契約を結ばされたり、法外な価格で商品やサービスを売りつけられたりするのである。連中は不平等を見つけ出し、そこから甘い汁を吸う。

キャシー・オニール『あなたを支配し、社会を破壊する、AI・ビッグデータの罠』

グーグルが検索エンジンとして浸透しはじめた二〇〇〇年代初め、あるいはフェイスブックやツイッターなどのソーシャルメディアが続々と登場した頃、「こんな便利なものが、なぜ無料で提供されるのか?」「どうやって収入を得ているのか?」と感じた人は多いのではないだろうか。

約二〇年が経った今、誰もがその答えを知っている。これら企業の収入源は、広告である。グーグルの総収入に占める広告収入の割合は八三パーセント、フェイスブックでは九九パーセントにも達する。広告を軸としたこのビジネスモデルこそが、強大な力の源泉だ。このモデルの根本的な変革を抜きに、ビッグ・テックによる支配からの脱却はありえない。

データ・マイニング（採掘）とターゲティング広告

私たちインターネット利用者は、毎秒毎秒、ネットの海に自身の膨大なデータを無防備に投げ込んでいる。グーグル検索、フェイスブックへの投稿や「いいね！」、アマゾンでのショッピング、ユーチューブの視聴……。無料で提供されるこれらのサービスと引き換えに、企業は個人情報を含むデータを採掘する（データ・マイニング）。集められたデータは瞬時に分析され、一人ひとりに異なる広告が、異なるタイミングで提示される。これが「ターゲティング広告」[*1]である。購読者や視聴者が一律に同じ広告を見せられる新聞やテレビとは根本的に異なる。フェイスブックを見ていると、なぜか昨日検索した商品に関連する広告が表示されるといったことはすでに起こっているが、これがあなた個人を「ターゲット（標的）」にした、あなただけのためにカスタマイズされた広告である。集められるデータの量が増加するにつれ、より精緻なターゲティングが可能となった。

インターネット広告に関する技術は「アド・テクノロジー（アドテク）」と言われ、この二〇年で飛躍的な技術革新が進んできた。たとえば、利用者が過去に見たウェブサイトの情報（閲覧履歴）を取得するクッキーの仕組みもそうだ。ウェブサイトの運営者と広告企業がクッキーをやりとりすることで、利用者ごとにターゲティング広告を打つことが可能となった。また、各ウェブサイトに表示される広告を配信・管理するための専用サーバー（アドサーバー）の登場と進化によって、広告の出し分け、表示回数やクリック回数などの配信結果の管理なども可能となった。[*2] 特に、「ターゲティング広告」は大きな進化を遂げてきた。利用者がウェブサイト上で年齢や性別等の属性情報を登録しなくても、閲覧などの行動履歴情報から、その人の興味や嗜好を分析・推定して小集団（クラスター）に分類し、広告を出し分けられるようになった。今では、プラットフォームを活用した「運用型広告」が主流となり、広告が表示されるたびにリアルタイムで入札が行なわれるなど、私たちからは見えないネット広告市場の世界はますます高度で複雑になっている。

技術の進歩にともない、世界でも日本でも、すでにインターネット広告は、新聞・雑誌・テレビを凌駕する時代に入っている。二〇二三年の日本の総広告費七兆三一六七億円のうち、インターネット広告費用は三兆三三三〇億円。広告費全体の四五・六パーセントにも及ぶ（図2-1）。二〇一三年には一六パーセント程度だったことからすれば飛躍的な伸びであり、しかもこの傾向は今後も加速すると見られている。

搾取の構造——苦しむ中小企業

しかし同時に、ターゲティング広告への批判は世界各国で高まりつづけている。「行動がの

図2-1　日本の総広告費とデジタル広告費の推移

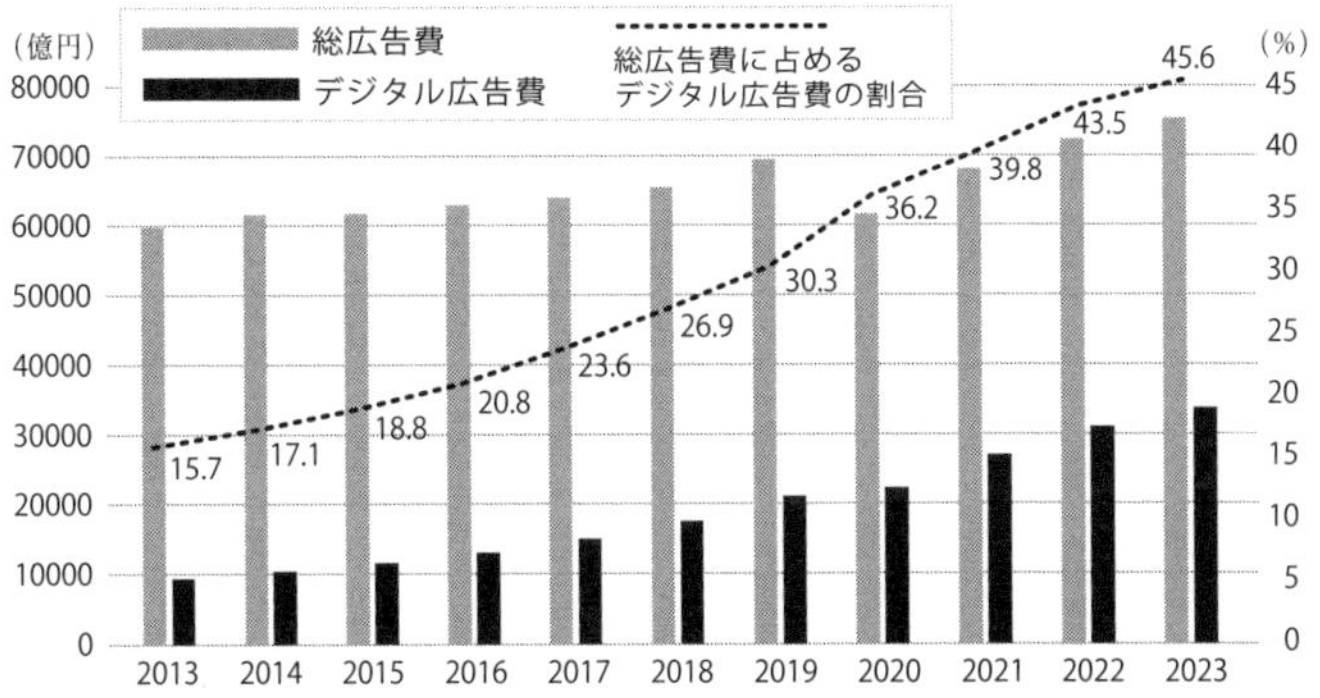

出典：電通『2023年　日本の広告費』

ぞき見されているようで気持ち悪い」「自分のデータを勝手に利用されたくない」と多くの人が感じている。実際、貧困層に対し高金利ローンのターゲティング広告が頻繁に掲示されたり、一〇代の若者に対しダイエット情報のターゲティング広告が出されるなど、利用者に負の影響をもたらしかねない事例が後を絶たない。

ターゲティング広告の問題として、広告を見せられる利用者への影響はすでに多くの指摘がなされており、本書のいくつかの章でも触れているところだ。本章では、普段なかなか注目されない、広告を出す側にとっての問題を取り上げる。というのも実は、このシステムのなかで苦戦し、金銭的な損失をこうむっているのは、広告出稿をする側、特に中小企業であるからだ。

二〇二一年一〇月、米国で「ビッグ・テックに抵抗するメインストリート」[*3]という名のキャンペーンが始まった。ここでいうメインストリートとは、各町の主要な商店街という意味だ。中心となるのはIT企業に透明性と説明責任を求める市民団体「アカウンタブル・テック（説明可能な技術）」だ。このキャンペーンは、「メインストリート同盟」や「スモール・ビジネス・ライジング」「地元企業の自立のための研究所」などの組織からも支援されている。アカウンタブル・テック共同創設者のジェシー・レーリッヒ氏はこう語る。[*4]

「フェイスブック、グーグル、アマゾンなどの大企業は、あまりにも長い間、企業としての説明責任や改革を回避する『盾』として、中小企業を利用してきました。彼らは、自分たちは中小企業の『救世主』だと言いながら、実際にはゲートキーパーという地位を乱用し、独占的な利益を守るためにデジタルの専門知識に乏しい中小企業を搾取しているのです」

米国のオンライン商取引は、グーグル、フェイスブック、アマゾンの三企業によって大きく支配されている。三社を合わせると、米国のデジタル広告市場の九〇パーセントを占め、またこれら三社は、米国で使われるすべての広告費の半分以上を受け取っている。

同キャンペーンは、これまで表に出にくかった中小企業や小規模店舗の経営者たちの声を集めることから始まった。その声は同キャンペーンの報告書『ビッグ・テックによる商店街の搾取――小規模ビジネス経営者からの声』[*5]にまとめられているが、米国以外の各国の小規模事業経営者も共通の問題を抱える。ここからいくつかを紹介しつつ問題点を見てみよう。

曖昧な効果

「私は多民族舞踏団を運営していますが、公演の観客を集めたり、資金を調達したりする方法としてフェイスブック広告を利用しています。ただ、有料広告の効果がどのくらいのものか、知る手段がないのが一番の不満です」

ニュージャージー州プレーンフィールドに住むアニタ・トーマス氏は、ビジネス・マーケティングの専門家だが、ターゲティング広告に戸惑いと不安を感じている。フェイスブックは、有料プロモーションを最適化するために必要な情報（ターゲット層のうち何人が実際に広告を見たかなどのデータ）を広告主に提供しないからだ。

「私たちが受け取るのは集計された数字だけで、ターゲットとなる情報は決して中小企業の経営者には共有されないのです」

ビッグ・テックは広告主に対して、ターゲティング広告を使えばいかに潜在的な顧客を開拓できるかをアピールする。しかし、広告が実際にめざすターゲット層に届くことは保証されていない。それどころか、事前の宣伝文句や数値が誇大であることを示す事例がいくつも報告されている。

たとえば、フェイスブックはある広告主に対して「米国内の一八歳から二四歳までの潜在的な顧客四一〇〇万人にリーチできる」と主張していたが、米国の国勢調査（二〇一六年に人口推定値を更新）によれば、その年齢に該当する人は三一〇〇万人しか存在しなかった（二〇一八年、カナダの調査企業ピボタル・リサーチの調査）。また米国で二〇一八年にフェイスブックに対して起こされた集団訴訟の際の証拠資料から、同社の広告のリーチ推定が誤ったデータに基づいていたことが判明している。同社はこの主張を否定しているが、最高執行責任者のシェリー・サンドバーク氏は、二〇一六年時点でこの問題を認識しながらも改善しなかったことが明らかとなっている。さらに同社の従業員が「いつになったらリーチの過大な見積もりから逃れられるのか？」と書いた社内メールも暴露された。

これ以外にも、フェイスブックは自社プラットフォームの動画視聴者数を六〇〜八〇パーセントも水増しして広告主に提示していたと認めており、先述の裁判資料ではその割合が一五〇〜九〇〇パーセントにも及ぶケースもあった。こうした数々の事例からも、同社がさまざまな数値を操作し、「誤解を招く誇大な指標」を日常的に広告主に提示していたことは明らかである。

相次ぐ変更、不親切なサポート体制

「顧客の基盤を拡大するためにフェイスブック広告を利用していますが、いったい自分は何のためにお金を払っているのか理解に苦しむことがよくあります。『いいね』『エンゲージメン

ト』『リーチ』などの指標は、私には何の意味も持ちません」（イベント企画企業経営者のエドガー・コメラス氏）

中小企業経営者にとって、ターゲティング広告の仕組みはブラックボックスだ。これら中小企業は、ビッグ・テックの指示する方法に沿ってウェブサイトの仕様や商品管理の方法を変更することがよくあるが、ビッグ・テック側は広告に関するアルゴリズムやルールを突然変更することがある。たとえば、フェイスブックは、フェイクニュースや偽情報を減らすためとして、掲載可能な広告の基準を変更することがある。ほとんどの場合、基準を満たすかどうかはＡＩとアルゴリズムが判断するが、その結果、多くの中小企業の広告がブロックされてしまうという事態が生まれている。

バージニア州リッチモンドでフェアトレード店を経営するグアダルーペ・ラミレス氏はその一人だ。

「私の店では、労働者を搾取する『スウェット・ショップ』の商品は一切扱っておらず、すべてがフェアトレード商品や環境に配慮した商品です。フェイスブックに広告を出す際には、掲載許可を得る必要があるのですが、『先住民の権利』『女性』『環境』といった言葉を使った広告が拒否されたことがあります。森林再生に関するイベント広告がブロックされたこともありました」

問題はそれだけにとどまらない。不可解に思った彼女は、フェイスブックのカスタマーサービスに問い合わせるが、そこには定型的な反応をする自動返答システムがあるだけで、問題解決には至らない。このような対応に泣き寝入りする広告主も多いという。

「ビッグ・テックが記録的な利益を上げつづける一方で、中小店舗は廃業に追い込まれています。大企業は、ミスリーディングで信頼性の低いデータの提供、隠れたコストや高い参入障壁、わかりにくいインターフェースの設計、規則やアルゴリズムの突然の変更を平気で行ないます。中小企業の経営者は、このような『大企業の気まぐれ』に従属させられているのです。そして、ほとんどの中小企業経営者は、こうしたサービスを利用したいのではなく、『他に選択肢がない』と感じているのです」（レーリッヒ氏）

進む垂直統合と寡占化――広告代理店も支配下に

こうした事例に対して、「これまでも広告を出す側の企業は、その仕組みを十分知らなかったし、知る必要もない。広告代理店に任せておけばよいのだ」という意見が出ることは容易に想像できる。しかし今起こっていることは、そのように単純な分業論では解決しないほど深刻だ。なぜなら、ビッグ・テックは従来の広告代理店をも飲み込み、より完全な支配と独占体制を築き上げつつあるからだ。

インターネット広告業界には、さまざまな役割を果たす多様な事業者が存在してきた。しか

図2–2　ビッグ・テックによる広告市場の垂直統合

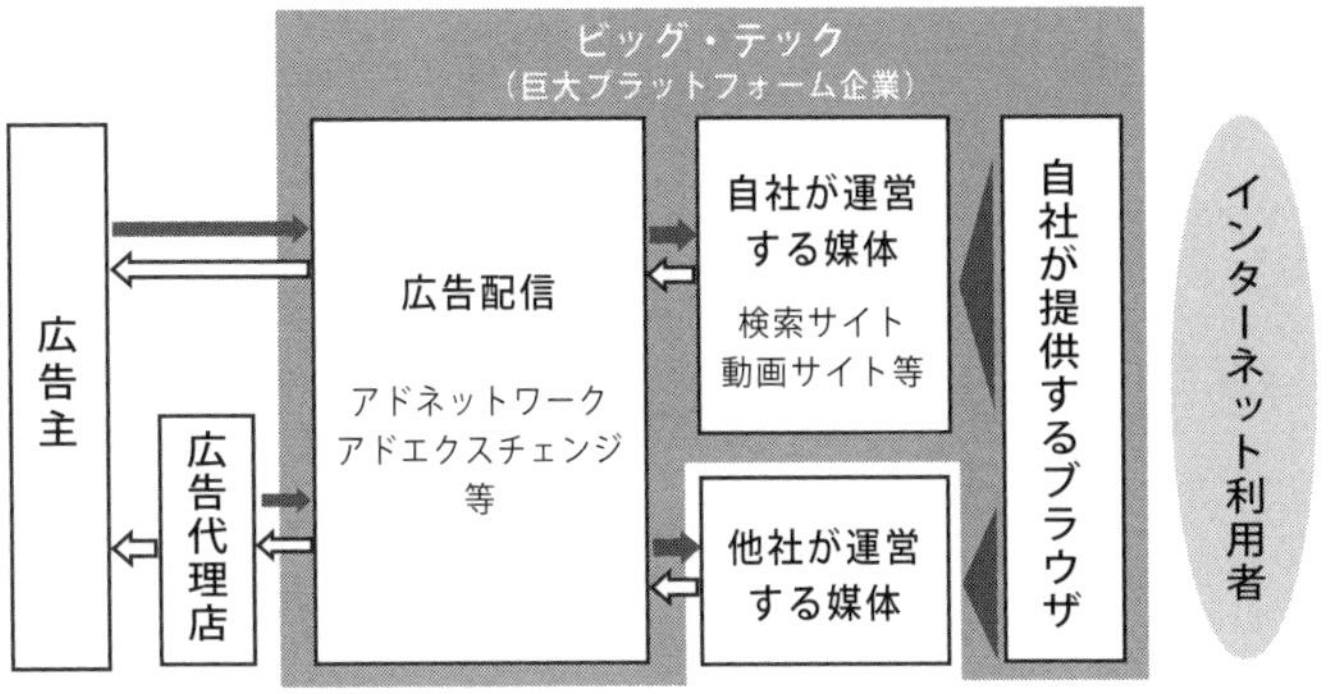

出典：各種資料より著者作成

しこの十数年で、ビッグ・テックによる垂直統合と寡占化が進んでいる（図2–2）。たとえばグーグルは、圧倒的なシェアを持つ「検索サービス」を有するだけでなく、買収等を通じて、ユーチューブなどの「媒体」も所有し、広告主と媒体社（ウェブサイト運営）の間に入る「広告配信」（アドネットワークやアドエクスチェンジ）の機能も有している。さらには、利用者が使用する「ブラウザ」（グーグル・クローム）も高いシェアを持ち、検索サービスを通じて利用者のデータ（閲覧履歴等）も押さえている。要するに、広告の入口から仲介、出稿先の媒体までのすべてをグーグルという一企業が掌握しているのだ。

　このような垂直統合と寡占化は、従来の広告代理店や広告仲介業者にも大きな影響を与えている。これらの事業者は、広告主から出稿依頼を受け、それをメディアに提案し掲載するというのが従来の仕組みだが、代理店や仲介業者は現在の巨大な統合と寡占化のシステムの「蚊帳の外」に置かれ、従属させられているという構造になっているのだ。

日本の公正取引委員会は、二〇二一年二月に「デジタル広告分野の取引実態に関する最終報告書」[*6]を公表した。ここでは広告代理店や仲介業者と、デジタル・プラットフォーム事業者（グーグル、フェイスブック、ツイッター、ライン、ヤフー）にヒアリングを行なっているのだが、代理店や仲介業者が置かれた支配の実態が実に率直に語られている。以下にいくつか引用してみよう。

「当社が行っている広告仲介事業は、あるデジタル・プラットフォーム事業者（以下DP事業者）が大口の取引先となっており、売上高のうち半分程度を占めている。取引をやめると会社の存亡にかかわるため、DP事業者からの要求には従うほかない」（広告仲介事業者）

「DP事業者は契約の締結に当たって一方的に内容を定めてくる。契約には私的自治の原則があり、基本的には当事者間の合意に基づいて多少は不利な条件でも応じることはあるとは思う。しかし、デジタル経済の寡占化・独占化が進んでいる昨今、実質的に他の選択肢はないので、当社に著しく不利な内容でも応じるしかない」（広告仲介事業者）

「扱う広告が配信基準を満たさないと判断されて広告の配信を止められるリスクと常に隣り合わせである。配信基準の変更がいつ行われるのか分からないため、対応に苦慮している」（広告仲介事業者）

「あるDP事業者との契約では、何らかの障害が発生して広告が配信できなかった場合、当該DP事業者に対して損害賠償請求はできないという免責規定が設けられている。一方で、当社に対してはDP事業者が補償を求めることができるという規定があり、不公平である」（媒体社・広告仲介事業者）

「当社が代理店として運用していた広告が、アカウントの停止により全面配信停止となった。停止理由はセキュリティや品質保持のためということであったが、それ以上何の説明はなく、どの広告が基準に抵触したのか分からないまま、月百万レベルで損失を被っている」（広告代理店）

これだけでも驚くべき実態だが、他にも競合する他のDP事業者との取引を禁じられる、費用の不透明性など、一般的な契約では考えられないような事例が数多く報告されている。そして、大きな問題は、ここまで片務的で不平等な関係があるにもかかわらず、広告代理店や仲介業者も「他に選択肢がない」と泣き寝入りに近い状態になっていることだ。

欧州と米国で進むターゲティング広告の規制

盤石に築かれたビッグ・テックによる広告システムの支配を崩す方法はあるのだろうか。まず考えられるのが、ターゲティング広告の規制だ。

欧州では、二〇一八年五月施行の「一般データ保護規則（GDPR）」にて、クッキーのような「オンライン識別子」も、規制の対象となる「個人データ」と定義するなど、ネット広告にも関係する規制の策定が進められてきた。

さらに包括的な規制案として注目されるのが、二〇二〇年に提起された「デジタル・サービス法（DSA）」および「デジタル市場法（DMA）」だ。DSAの主要な目的は、グーグルやフェイスブックなどのプラットフォーム企業が個人情報をターゲティング広告に使うことを規制することだ。利用者が自身のウェブでの行動追跡を拒否（オプトアウト）できるようにするサービスの追加や、違法なコンテンツ・製品の削除をプラットフォーム企業に義務づける内容で、違反した企業には年間売上高の最大六パーセントの罰金を科す。二〇二〇年の法案発表後、さまざまな条項も追加された。たとえば、当初は禁止するターゲティング用データは性的指向、人種、宗教などだけだったが、未成年者のデータ収集も禁じ、ダークパターン（ページのデザインや機能で利用者が無意識に企業に有利な選択をするよう誘導すること）の禁止も追加された。

こうした強い規制案にIT業界は猛反発したが、二〇二二年一月二〇日、欧州議会はDSAを賛成五三〇票、反対七八票、棄権八〇票という圧倒的な票差で承認した。その後の採択の手続きを経て、DSAは二〇二四年二月に、DMAは二〇二三年五月に全面施行された。

EUの動きに呼応するように、米国でもインターネット広告への規制策が進んでいる。二〇二〇年一月に成立したカリフォルニア州消費者プライバシー法（CCPA、二〇二四年三月施行）では、規制対象となる「個人情報」にクッキーも含まれることになった。また、欧州議会でＤＳＡが承認された二日前の二〇二二年一月一八日、米連邦議会の民主党議員三人が、フェイスブックやグーグル、そして個人情報を利用して利益を上げるデータブローカー企業を規制するための法案を提出した。

この法案は「監視広告禁止法」[*7]という。アンナ・エシュー議員とジャン・シャコウスキー議員が下院に、コリー・ブッカー議員が上院に提出した。ビッグ・テックが利用者に広告を提供する方法を大幅に制限し、個人情報の使用を全面的に禁止するものだ。エシュー議員は、法案提出にあたり自身のウェブサイトでこう述べている。

『監視広告』のビジネスモデルは、広告ターゲティングを可能にするために個人情報を収集し囲い込むという不適切な行為を前提としています。この悪質な慣行は、オンライン・プラットフォームが社会に多大なコストをかけて利用者の関与を追い求めることを可能にし、誤った情報、差別、敵陣営を支持する有権者の弾圧、プライバシーの侵害など、多くの害悪を助長しています。消費者と企業、われわれの民主主義にとって取り返しのつかない損害を与える有害なビジネスモデルです[*8]」

この法案では、「人種、性別、宗教などの保護された区分情報、およびデータブローカーから購入した個人データ」に基づくターゲティングはすべて禁止している。ただしプラットフォーム企業は、市や州レベルの一般的な位置情報に基づき広告を表示できるほか、ウェブページ内の文脈にターゲティングする「コンテキスト広告」も認められる。米連邦取引委員会と州検事総長が違反行為を取り締まる権限を有することになり、故意に違反した場合には一件につき最高五〇〇〇ドルの罰金が科される。

この法案の注目すべき点は、アカウンタブル・テックや電子プライバシー情報センター（ＥＰＩＣ）、名誉毀損防止同盟（ＡＤＬ）などの市民組織、また『監視資本主義』の著者であるショシャナ・ズボフ教授やデータセキュリティの研究者であるウッドロー・ハーツォグ教授などの研究者、さらにダックダックゴーやプロトン、ニーヴァなど、監視広告を使用しない検索エンジンやメールサービス企業の支持を得て提出されたことだ。法案は可決に至らなかったが、エシュー議員らは二〇二三年九月に同じ内容の法案を再度提案している。

日本で監視広告への包括的な規制はなく、その背景となる利用者の懸念や市民運動、議論も十分ではない。監視広告については「何となく気味が悪い」「プライバシーへの懸念がある」と思いつつ、多くの人がいつの間にか慣れてしまっているのではないだろうか。

そんななか、二〇二二年六月に電気通信事業法が改正され、二〇二三年六月から施行された。今回の改正では、主に電子通信事業者（オンライン検索サービスやショッピングサイト、ニュースサイトなど）に対して新たに「外部送信規律」（利用者情報の送信に関する規律）が定められた。これにより、ウェブサイトやアプリの利用者の端末に保存された情報を、広告プラットフォーム運営事業者などの第三者に外部送信する場合、利用者への通知または公表が求められるようになる。要するに、これまで利用者もわからないような形で広告企業などに送られていた閲覧履歴などの情報について、「あなたの履歴をどこの誰と共有します」とあらかじめ伝えなければならないとされたのだ。

しかし、これは決して十分でないばかりか、もともとの趣旨からすれば大きく後退する内容となった。そもそも日本では、クッキー情報による閲覧履歴は個人情報と見なされないため、明確な規制が存在しない。欧米で進むターゲティング規制の波を意識しながら、総務省は二〇二一年に有識者会議「電気通信事業ガバナンス検討会」*9を組織し、規制の議論を始めた。報道などによれば、ある事業者が利用者の履歴情報を第三者へ共有する場合には、「原則として利用者の同意を取得」という内容が当初の案だった。しかしその後、経済界からの強い反対を受け、最終報告書では「原則として通知・公表」に後退してしまったという。

「利用者の同意」の場合、個別に利用者に働きかけ了承を取る必要があるが、「通知・公表」となれば、事業者のウェブサイトのどこかにその旨を記載しておけば済む。実際、二〇二三年六月の改正法施行後、多くの事業者がそのような対応をしているが、ほとんどは利用者が見つけ出せないような場所に書かれているため、多くの人が気づくことすらできない状態だ。

この後退に影響を及ぼしたのは、経団連、経済同友会、新経済連盟、在日米国商工会議所である。「国際的に異常なガラパゴス規制」「厳しい規制が設けられれば事業コストが大きくなる」「米国企業が狙い撃ちされている」などと猛烈に反対を表明した。*10

これ以外にも、同法改正案に当初盛り込まれていた「すべての電気通信事業者に対する利用者情報の取り扱いについての規律」や「利用者情報を保管するサーバー所在国や取り扱いの委託先の所在国の公表」について、改正案では見送りとされてしまった。

揺らぐ「広告神話」

日本ではターゲティング広告ビジネスの力に規制当局が従属させられつづけていると言わざるをえないが、米国を中心に、監視広告の被害にあった人やその支援者、専門家が声を上げ、規制当局や国会議員などへ働きかける努力がなされている。たとえば米国では近年、健康や美容に関する監視広告への批判が高まっている。二〇二三年五月、米国医務総監のビベク・マーシー博士は、監視広告を含むＳＮＳが若者の精神的健康に与えている影響について、「ソーシャルメディアと若者のメンタルヘルス」と題した勧告を発表した。[*11] その翌月の六月、博士は米国議会にて監視広告が子どもや若者のメンタルヘルスに及ぼす悪影響についても証言した。綿密な調査に基づく勧告書の主旨について、『タイム』誌で博士はこのように語っている。[*12]

「ソーシャルメディアプラットフォームが子どもにとって安全だと言える十分なデータは存在しません。そして、ソーシャルメディアの使用が危害と関連しているという証拠は増えています。……これは、一〇〇パーセント政策立案者とテクノロジー企業の責任です。子どもが使う製品を製造する企業には、それが安全であることを保証する基本的な責任があります。子どもが乗る自転車のブレーキや、使用する薬の成分検査を保護者に求めることなどありません。メーカーが確実に基準を満たしていることを確認するために、私たちは基準を設定し、それを強制します。通常それは、政府によって行なわれます。それがここに欠けているものです」

二〇二三年一二月には、コネチカット州障害者の権利、国民保健法プログラム、全国障害者権利ネットワーク、メディケア権利擁護センターなどの団体が共同して、ユナイテッド・ヘルスケア社が障害者や高齢者に対して誇大あるいは虚偽のターゲティング広告を行なっていると提起し、同社と米連邦取引委員会に対して全国調査をするよう求めた。

「特に低所得の障害者や高齢者に向けた広告は衝撃的です。明らかに彼らに不必要なプランへの加入を誘導しています。連邦規制当局がしっかりと行動を起こし、この虚偽広告に終止符を打つべき時です」（コネチカット州障害者の権利、弁護士シェルドン・トゥーブマン氏[*13]）

こうした運動に押されるように、略奪的で侵略的なターゲティング広告というビジネスモデルは、広告を出稿する側の企業にも変化を迫っている。ミネソタ大学カールソン経営大学院のヴェロニカ・マロッタ教授らが二〇一九年に発表した調査によれば、ターゲティング広告はコンテキスト広告に比べ、四パーセントしか効果が上がらないという。[*14]大きな効果も期待できず、ビッグ・テックに従属させられ、利用者からも反発を買うようなビジネスモデルは、企業の社会的責任という観点から見ても、また単に利益追求という論理からしても「割に合わない」。

そう気づきはじめた企業が少しずつ現れている。

たとえば、全世界のティーンエイジャーに人気のSNS「ピンタレスト」は、二〇二一年七月、減量に関する広告を全面禁止すると発表した。同社は以前から痩身薬、減量のビフォー・アフター画像、他人の体形をけなす行為などの広告を禁止していた。だが、新型コロナウイルスのパンデミック発生後、若年層の間で不健康な食事習慣と摂食障害が急増した。ここには「ネガティブな自己イメージを植えつけ、美しくなるための商品を販売する」ターゲティング広告が関係していると全米摂食障害協会も指摘。こうした見解を受けての対応である。

また、二〇二〇年五月、米国でのジョージ・フロイド氏の暴行殺害事件をきっかけに、多くの企業や人権団体がフェイスブックにビジネスモデルの変更を迫った。フェイスブックはヘイト表現やレイシズム、気候変動否定論、そして公民権や人権を弱体化させるコンテンツや広告から利益を上げているとして、広告主が広告を引き上げたのだ。ここには、ザ・ノース・フェイス、パタゴニア、REIなどの企業が参加した。

さらにビッグ・テック側も、対応せざるをえない状況が徐々に生まれている。二〇一七年、アップルが提供するブラウザ「サファリ」に、「インテリジェントトラッキング防止（ITP）」と称する機能が実装され、ターゲティング広告等に利用されているサードパーティー・クッキーに制限を加え、その後もアップデートが順次行なわれている。

もちろん、こうした動きはまだ点でしかなく、ターゲティング広告市場に痛痒を与えていない。どこかの企業が広告を引き上げても、代わりの企業はいくらでもいる。インターネットビジネスが登場するはるか前の時代につくられた法律や規制を、いかに改定していくかを議会で論争している間にも、ビッグ・テックは引き続き市場を支配し、中小企業も利用者もそれに従属させられるだろう。

しかし、侵略的で略奪的なターゲティング広告がもたらすさまざまな弊害が、ここ数年で各国の規制当局や利用者、企業にも、広く共有されたことは間違いない。「おかしいと思っているが、変えられないので仕方ない」という状況を打破するためにも、利用者だけでなく、広告を出す側の企業や広告代理店など広告業界の企業が、不公正なビジネスモデルの問題を語りはじめることが重要ではないだろうか。

「ビッグ・テックのサービスが『不可欠』なのは、それが唯一の選択肢であることを確実にするために、反競争的な行為が行なわれてきたからです。今、中小企業の経営者たちは、ターゲティング広告に関する自分たちの生きた経験を共有し、ビッグ・テックと中小企業の本当の関係を明らかにすることで反撃しているのです」（アカウンタブル・テックのジェシー・レーリッヒ氏）

第3章

キッズ・テック 狙われる子どもたち

© FaceUpToFacebook

二〇二一年一一月、欧州では若い女性たちがフェイスブックやインスタグラムのターゲティング広告の有害性を訴えるデモを行なった二〇一九年からの新型コロナウイルスの大流行がきっかけとなり、世界におけるインターネットの利用は劇的に増加した。ステイホームやテレワークが広がり、人々は自宅にいながらインターネットで食事や物品を注文し、オンラインで会議をすることが当たり前になった。

この変化は、子どもたちの世界にも同時に起こった。

ユーチューブの教育ビデオを視聴し、グーグル・クラスルームでバーチャルな教室に参加する。そして教育の場から離れれば、ティックトックやスナップチャット、インスタグラムなどのSNSで友だちとつながる。インターネット上で行なうビデオゲームの利用者も急激に増加した。内閣府調査によれば、日本でも一二歳以下の子どもや一〇代の若者のネット利用時間は増加の一途だ。

インターネットの利用増加に加え、二〇一〇年代以降、ビッグ・テックと電子機器メーカーが協力して促進してきたのが「キッズ・テック」と呼ばれる分野だ。厳密な定義はないが、子ども向けの電子機器や教育・文化プログラムの開発・販売、学校など教育機関との連携による技術利用など幅広い領域をカバーする一大産業となりつつある。

さらに近年、飛躍的に成長するのが「ベビー・テック」産業だ。たとえば育児の経験がない親へのサポートアプリをはじめ、センサーで赤ちゃんの体温を監視し異常を警告するデバイス、おむつが濡れたら通知するデバイス、さらに赤ちゃんの泣き声からその感情をＡＩが推定し知らせる機器など、すでに多くのツールやサービスが市場に投入されている。経済産業省はベビー・テックを推進しており、保育園などでマットレスにセンサーを組み込んだ「睡眠状態監視デバイス」を導入するケースも増えている。

　このように、生まれた瞬間から子どもたちはインターネットやＩＣＴ機器、サービスに囲まれるようになった。

子どもの世界で拡大するターゲティング広告

　子どもを取り巻くインターネット環境のなかで、最も懸念されているものの一つが、オンライン・ゲーム依存（ゲーム障害とも言われる）の問題だ。ゲームに熱中し、利用時間を自分でコントロールできなくなり、日常生活に支障が出ることだ。世界保健機関（ＷＨＯ）は、二〇一九年五月にゲーム障害を「新たな病気」として国際疾病分類に加えた。ゲーム障害の患者数は明確に把握できないものの、厚生労働省の調査では「ネット依存」と疑われる人は成人で推定約四二一万人、中高生で約九三万人（二〇一七年）。このうち約九割がゲーム障害とされる（三七パーセントはＳＮＳ・動画依存。両者の重複あり）。*1

　オンライン・ゲームが引き起こす健康障害や学力低下の問題は、すでに日本を含む各国で課題になっている。これに対しては、家庭での利用時間規制や医療機関との連携、さらには「香川県ネット・ゲーム依存症対策条例」のように物議を醸すゲーム規制条例（二〇二〇年）も登場するなどの動きがあるが、本章ではゲーム依存とも関わる子どもへのターゲティング広告の問題を扱う。子どもへのターゲティング広告は、ビッグ・テックはじめ多くの産業による巨大な力の行使であるにもかかわらず、親を含む大人からは見えにくいからだ。

子どもが何時間オンライン・ゲームをし、どんなユーチューブ番組を視聴しているかを気にする親は多いだろうが、そこで「どのような広告を見せられているのか」までを把握し、警戒することは難しい。子どもたちは何の防備もなくデジタル消費社会にさらされていると言ってもいい。

ビッグ・テックとビッグ・フードの結託

コカ・コーラ、ペプシ、マクドナルド……。私たちにお馴染みのグローバル食品企業、特に若者に人気のファストフードや飲料企業は、すでにデジタル・ネイティブ世代の子ども・若者の生活のあらゆる場面に入り込み、マーケティング戦略を活発に行なっている。

二〇二一年五月、米国の四つの市民団体「バークレーメディア研究会」「カラー・オブ・チェンジ」「ユニドスUS」「デジタル・デモクラシーのためのセンター（CDD）」が共同し、報告書「ビッグ・フード、ビッグ・テック、そして世界的な小児肥満のパンデミック」[*2]を公表した。

執筆者の一人であるジェフ・チェスター氏（CDD）は次のように語る。

「いま子どもたちを取り巻いているのは、『デジタル・フード・マーケティング』と呼ばれる、ビッグデータとＡＩを使った大規模で統合されたデータ駆動型の一大システムです。かつてのテレビや雑誌の広告とはまるで違う世界です。巨大食品企業とビッグ・テックは提携し、統合され、その境目は曖昧なものになっています」

たとえば、デジタル環境のなかでファストフード企業は、芸能人やスポーツ選手、ＳＮＳ上の人気者を利用した「インフルエンサー・エコノミー」を展開している。二〇二〇年秋、コロナ感染拡大で多くのレストランが閉鎖されるなか、マクドナルドは人気ラッパーであるトラヴィス・スコットと提携し、彼の名を冠した「トラヴィス・スコット・ミールセット」の販売を開始した。人気ラッパーの好物をすべて組み合わせたこのハンバーガーセットは瞬く間に全米に広がり、食材不足となる店舗も現れるほどだった。

企業が有名人を起用するキャンペーンは新しいものではない。しかし現在は、多くの子ども・若者がスマートフォンのアプリを通じて商品を注文するよう、特典やサービスによって動機づけられている。つまりマクドナルドは単に商品を販売するだけでなく、自社アプリを通じて収集した膨大な顧客データをその後のマーケティングに活用できるのだ。

さらにインフルエンサー・エコノミーはＳＮＳの世界で拡張しつづけている。インスタグラムやユーチューブ、ティックトックでは、「デジタル・セレブリティ」と呼ばれるインフルエンサーが次々と生まれている。たとえば、米国のカリスマ・ユーチューバーであるエマ・チェンバレン（二一歳）は、一〇代の若者、特に女の子がフォローする「最も影響力のあるZ世代」で、彼女のユーチューブ登録者数は一二〇〇万人以上だ。彼女の着る服、食べるものは常に若者の消費と直結し、巨大な市場を形成している。

低年齢の子ども向けにも、インフルエンサー・エコノミーは広がる。ユーチューブには、「キッズ・インフルエンサー」が多数登場し、おもちゃから映画、ジャンクフードまで、さまざまな商品の宣伝を行ない、そのフォロワーが数百万人に及ぶ例が少なくない。その代表の一人、ライアン・カジは一〇歳のキッズ・インフルエンサーだ。彼が登場するユーチューブ・チャンネル「ライアンの世界」は、年間二〇〇〇万ドル以上の広告収入に加え、二億ドル以上のブランド商品の売上があると言われている。

大手食品・飲料メーカーもユーチューブにブランドチャンネルを設置している。たとえば、コカ・コーラのチャンネル登録者数は四二九万人、ペプシは九六万人、マクドナルドは六九万人だ。ここでは日々、商品のCM、ミュージックビデオ、インフルエンサーと商品のコラボ映像など、子ども・若者にとって魅力的な動画コンテンツが流れている。

企業間での投資、統合も進む。ファストフード企業は、フードデリバリー・プラットフォーム企業に投資し、提携するようになった。

たとえば、マクドナルドの「マックデリバリー」サービスは、ウーバーイーツおよびドアダッシュと提携している。二〇一九年にドアダッシュとの提携にあたり、マクドナルドは「一〇〇万個のビッグマックを一セントで提供する」と発表。加えて最高賞金一〇〇万ドルのモバイルアプリ懸賞を実施した。またアマゾンとケンタッキー・フライドチキンの技術提携によって、アレクサに向かってチキンを注文すると、カーネルおじさんの声で受け答えしてくれるようになった。

「デジタル・フード・マーケティングは、子どもと若者の生活の中心にまで到達するようになりました。前例のない広範でグローバルな商業監視システムです。食品業界とビッグ・テックは、子どもたちを継続的に監視し、デジタル文化のなかで、友人との交流、デジタル機器やプラットフォームの利用、ブランドへの感情などあらゆる行動を追跡し、彼らに関する膨大な量のデータを蓄積します。そしてそれを新たなマーケティングに利用し、不健康な商品を消費した子どもに『報酬』を与えるのです」（チェスター氏）

デジタル環境が増幅させる肥満

二〇二〇年二月、国連児童基金（ユニセフ）、WHO、医学誌『ランセット』によって招集された世界の子どもと若者の保健専門家四〇人以上からなる委員会は、報告書「世界の子どもたちの未来のゆくえ」[*3]を発表した。ここでは子どもの健康を害するものとして、気候変動と並び、有害な商業マーケティングを挙げている。同報告によれば、肥満の子どもと若者の数は、一九七五年の一一〇〇万人から二〇一六年には一億二四〇〇万人へと一一倍にも増加している。ジャンクフードや砂糖入り飲料の広告マーケティングに子どもがさらされ、不健康な食品の購入や過体重および肥満につながっていると報告書は指摘している。

子どもたちの肥満増加の背景には、ゲーム業界と食品企業によるオンライン・ターゲティング広告や商品開発がある。

二〇一八年、ペプシコはマウンテンデュー（同社の飲料ブランド）の新商品として「マウンテンデュー・AMP・ゲーム・フューエル」を発売した。通常の飲料よりも高果糖コーンシロップ、カフェイン、各種ハーブなどが多く含まれることで、「ゲーム中の注意力と正確さを高める、ゲーマーを対象とした新しいエナジー・ドリンク」というのが売り文句だ。「ゲーム中でも蓋を開けやすく、滑りにくいグリップ」などデザインの工夫もされている。こうした商品が、インフルエンサーを通じて、あるいはゲームそのものと連動して、子どもたちへの広告として日々発信されている。

もう一つの事例を紹介しよう。二〇二〇年一二月、ファストフード大手のウェンディーズは、ゲーム配信に特化した動画配信サービスのツイッチ（二〇一四年にアマゾンが買収）、ウーバーイーツ、そしてツイッチ上で大人気の五人のプレイヤーと提携し、「ゲームをやりつづける（Never Stop Gaming）」メニューを開発した。五人のプレイヤーそれぞれにセットメニューがつくられ、彼らのファンたちはツイッチ・チャンネルを通じてそれを注文し、ウーバーイーツが配達するというものだ。その過程では、ギフトカードやゲーム機などの景品が当たるチャンスもある。オンライン・ゲームとファストフードはこのように融合し、一つの壮大な市場を形成している。言い換えれば、オンライン・ゲーム環境は、個人の追跡とターゲティング広告システムの一部になっているのだ。

すでにゲーム空間は単なる仮想現実の世界ではない。たとえば、GPSを利用したモバイルゲーム「ポケモンGO」は、ポケモンを追いかける人々を、物理的に移動させることができる。広告を出したレストランや店舗の前に、ポケモンを獲得しようとする多数のユーザーを「連れて行く」こともできるのだ。あるいは、オンライン・ゲームの途中に自動販売機が現れ、プレイヤーのアバターが好きなドリンクを飲むという仕掛けもある。プレイヤーである子どもたちへの広告効果は絶大だ。

これら食品・飲料のターゲティング広告は、米国では黒人やヒスパニック系など有色人種の子ども・若者を明確に狙っているという分析もある。二〇一九年、コカ・コーラは「ファンタ」のマーケティングにあらためて力を入れることを発表した。フルーツ風味の砂糖入り清涼飲料水は、国外のヒスパニック系消費者に人気を保ちながら、近年、米国内での人気が落ちていた。そこで「コカ・コーラは今、米国で急増しているヒスパニック系住民にこのブランドがヒットするようなマーケティングを行なっている」と小売業界誌は報じている。

その他のターゲティング広告

ゲームの世界以外にも、ネット上には過激なコピーや性描写が入った広告、不自然に加工された写真や刺激的なメッセージが添えられた痩身・豊胸・脱毛などの広告、「数量限定」や「初回低価格」を強調する広告など、消費者をミスリードする誇大広告や虚偽広告が溢れる。しかもネット広告の画像や表現は、テレビ広告より刺激が強い傾向がある。

その手法も多様化しており、利用者の閲覧および購買履歴などの情報や興味・関心に合わせて広告を提示する「行動ターゲティング広告」、映像や音声を付けて商品・サービスを宣伝する「動画広告」、人気タレントやユーチューバーなどがSNS上で商品やサービスを推奨する「インフルエンサー広告」、SNSなどで投稿やニュースコンテンツの間に効果的に配置される「インフィード広告」、サイト内の記事やコンテンツと似た体裁で制作された「ネイティブ広告」、広告主が作成したゲームのなかに企業名やブランドロゴなどが入っている広告「アドバゲーム」など、数多くある。

先述の内閣府調査によれば、日本では一二歳になると約六割の子どもが自分専用のスマートフォンを持つが、それまでは親やきょうだいのスマートフォンを使うことが多く、子どもが見る情報や広告に大人と子どもの境界線を引くことは難しい。

米国心理学会の研究では、五歳以下の子どもはテレビ番組と広告の区別ができず、七～八歳以下の子どもは広告の説得意図を十分に理解できないことが明らかになっている。ちなみに、日本では子ども向け番組の間に、番組内の人気キャラクターが登場する広告が挿入されることがある。「ホストセリング」と呼ばれるこの広告手法は、番組と広告の区別が付かない子どもの未熟さを不当に利用することになるとして、欧米では禁止されている。

巧妙かつ複雑につくり込まれたネット上の広告を、大人であれば「これは広告だ」と理解できても、子どもがそう認識し、批判的に読み解くことは難しい。[*4] 理解力や判断力が十分に備わっていない消費者として「子どもの脆弱性」が指摘されるところだ。また、一二歳以上であっても、自分の購買履歴などのデータが収集・分析され、商業目的で利用される仕組みまで理解することは困難だ。

その一方、デジタル・ターゲティング広告推進のための研究は、私たちが把握できないほどの速度と質量で進んでいる。食品業界やＩＴ業界は、デジタル・ネイティブの子どもたちがゲームやＳＮＳのなかでどのような行動をとっているのかを日々監視し、心理学者や神経科学者を雇用し研究を進めている。これら企業は、テレビやユーチューブ、フェイスブックやインスタグラムを利用する若者たちの脳の活動を把握する神経科学技術の研究開発にも投資をしている。

自主規制の限界――規制当局とビッグ・テックの攻防

デジタル世界での広告やマーケティングが子どもの心身や生活習慣に悪い影響を及ぼすことは、国連機関や各国の医療関係者から指摘されるようになった。では実際、脆弱な消費者としての子どもをどのようにして守っていくのか。

ほとんどのSNSサービスは年齢制限を設けている。フェイスブックやX、インスタグラム、ティックトックは一三歳以上のみ利用でき、ラインは一二歳以上を推奨年齢とし一八歳未満には一部利用制限がある。ユーチューブは一部コンテンツのみ一八歳以上といった具合だ。これに基づき、各社は「広告のターゲティングやトラッキングのために一三歳未満の子どもの個人情報を収集することを防止する」としている。しかし、保護者のスマートフォンやタブレットなどで子どもがコンテンツを閲覧することは当たり前のように行なわれており、利用する年齢は年々低下している傾向にある。

デジタル広告が登場する以前から、いくつかの国では子どもに対する広告規制がなされてきた。スウェーデンでは一九九一年に、一二歳未満の子どもをターゲットにしたおもちゃや食べ物などの広告を子ども向けの番組の途中や前後に放映することが法律で禁止された。子どもの脆弱性を狙った広告は子どもの人権侵害に当たるという理由からで、ノルウェーでも同様に法律で禁止されている。カナダのケベック州の消費者保護法も、一三歳未満の子どもをターゲットにしたマーケティングを禁止している。フランスでは、若者の摂食障害が深刻な社会問題となっており、二〇一七年、女性を守るための二つの法律（国内でモデルとして働く際に健康的な体型と体重であることを証明する医師の診断書を必要とする法律、モデルの写真にデジタル修整を施した場合は「レタッチトフォト（加工写真）」と明記することを義務づける法律）が施行された。

子どもへのデジタル広告については、明確な法規制がないなか、各国や国際機関、業界はガイドラインや個別企業の自主規制によって子どもへの広告規制を進めてきた。たとえば、「消費者保護および執行のための国際ネットワーク（ＩＣＰＥＮ）」は、二〇二〇年に一八歳未満の子どもに対するオンライン・マーケティングに関する基本原則を発表。マーケティングであることの明示や子どもの特性への配慮、子どものデータ収集や利用、不適切な商品やサービスに対する注意を促す内容だ。

英国では二〇一七年に広告の自主規制組織である広告慣行委員会が、一二歳未満の子どもをネット広告から保護するための手引を発表し、子どもが商業的な意図を持った広告を識別できるように適切に明示し、情報を開示することを規定している。

しかし、自主規制だけでは改善を期待することはほぼ不可能だ。先述のユニセフ、ＷＨＯ、ランセットなどからなる委員会報告の著者の一人であるアンソニー・コステロ教授は、次のように述べている。

「業界の自主規制は失敗しました。オーストラリア、カナダ、メキシコ、ニュージーランド、米国などにおける研究は、自主規制では子どもに広告を届ける商業的能力は妨げられていないことを示しています。たとえば、オーストラリアの自主規制に業界が署名しているにもかかわらず、子どもや若者の視聴者は、たった一年間で、テレビで放映されたサッカー、クリケット、ラグビーを見ている間に五一〇〇万件のアルコール広告にさらされていました。そして、現実はさらに悪い状態かもしれません。というのも、子どもをターゲットにしたソーシャルメディア広告やアルゴリズムの大幅な増加に関するデータや数字がほとんど手元にないためです」[*5]

こうした問題意識は欧州でも共有されており、この数年でEU一般データ保護規則(GDPR)だけでなく、子どものデータの手厚い保護を企業に義務づける独自ルールの策定が続いている。その代表例が、二〇二一年九月に英国が導入した「チルドレンズ・コード」[*6]だ。一八歳未満のユーザーが営利目的のオンラインサービスにアクセスする場合に一五の基準を課している。たとえば、子どもの個人データの利用がもたらすリスクを事前に評価する「影響評価」の実施や、アプリなどで位置情報を取得したり、データをAIで自動的に分析し、ユーザーの属性や興味関心をプロファイリングすることも禁止している。

米国では、一九七〇年代以降から活発な消費者運動が、テレビや雑誌など旧来メディアにおける子どもへの過剰で不健康な広告に対し、規制を設けるために粘り強く進められてきた。

たとえば、一九七四年設立の「子ども広告審査ユニット(CARU)」は、子ども向けの広告についての自主規制プログラムを策定し、一二歳未満の子どもへの広告やマーケティングを自主的に審査・規制してきた。これら運動は、急速に拡大するデジタル・マーケティングの世界での広告の問題にあらためて照準を合わせ、業界や企業に対し拘束力ある法規制を求めるようになった。

二〇〇〇年には「児童オンライン・プライバシー保護法（COPPA）」が施行され、一三歳未満の子どもをターゲットにしたマーケティングが禁止されるようになったが、法の主な目的は個人情報保護であり、適用される企業の範囲も限られているため不十分だと前出のジェフ・チェスター氏は言う。

「公衆衛生の専門家や規制機関が、子どもや若者へのマーケティングについて科学的根拠に基づく明確なガイドラインや規制を制定しようとすると、食品業界と広告業界は、それをうまくかわすためにその影響力のすべてを展開しました。そうやってこれら企業は、世間や政府の監視の目をかいくぐってきたのです」

一方、米国では近年、子どものプライバシー侵害をめぐる訴訟も起こっている。二〇一九年、グーグルおよびその傘下のユーチューブは、保護者の同意なしに子どもの個人情報を違法に収集したとして提訴され、米連邦取引委員会に一億七〇〇〇万ドルの和解金を支払った。その後ユーチューブは子ども向けコンテンツに関する新ルールを展開した。

米国・シアトルに拠点を置く「ソーシャルメディア被害者法律センター（SMVLC）」[*7]は、

ソーシャルメディア企業が脆弱なユーザーに与える損害に法的責任を負わせるために活動する民間機関だ。製造物責任の原則を適用して企業に損害賠償をさせると同時に、消費者の安全を求める。センターによれば、SNSの広がりは、一〇代の子どもの自殺や摂食障害の増加、未成年者や立場の弱い成人の性的搾取、暴力の蔓延の一因となっている一方、規制が不十分な環境のなかで企業は危害のコストを負担することなく、数十億ドルの利益を上げているという。

二〇二三年四月、ソーシャルメディア被害者法律センターが代表を務める形で、六五人もの保護者たちが大手SNS「スナップチャット」社を相手に訴訟を起こした。[*8] スナップチャットとは、写真やメッセージを仲間同士で交換できるSNSだが、特徴は「投稿した写真やメッセージが、設定した時間（一〇秒程度）で消えてしまう」ことにある。この仕組みのおもしろさから、米国はじめ各国で子どもや若者に人気だ。ところがこの機能が悪用され、スナップチャット上ではオピオイドなどの薬物の売買が日常的に行なわれていたのだ。訴訟を起こしたのは、オンラインで購入した薬物を過剰摂取したため命を落とした一〇代の子どもの親たちだ。特に、子どもがスナップチャットを通じて薬物購入をしている事実を知りながら、会社は売買を止めさせる措置をとっていないことに親たちの怒りは集中している。企業の責任を問う訴訟を起こす一方、親たちは同じような被害者を出さないようにと、子どもや若者向けの教育プログラムや意識向上のためのキャンペーンにも取り組んでいる。

企業の動きにも少しずつ変化がある。食品・日用品大手のユニリーバは小児肥満の問題解決に寄与するため、二〇二〇年に子どもを対象にした食品の広告・マーケティングを中止することを発表。伝統的なメディアでは一二歳未満、ソーシャルメディアでは一三歳未満を対象にした広告を取りやめ、広告にアニメキャラクターを使わず、一二歳未満に訴求力のある著名人やインフルエンサーを起用しない方針を打ち出した。

日本には子どもを守る規制がない

日本は、こうした潮流から大きく遅れをとっており、子どもに対する広告やマーケティングに関する法律や規制は存在しないのが現状である。

子どもに対する広告表現上の配慮は、日本民間放送連盟の「児童向けコマーシャルに関する留意事項」をはじめ、業界ごとの自主規制を通じて行なわれているが、その規制力は限定的だ。オンライン・ゲームについても、「家庭でいかにゲームを抑制するか」「ゲーム依存になった際のケア」についての情報は多くあるが、そこでの広告の問題に関する指摘や、食品産業やビッグ・テックを規制する提言はまだ少ない。

二〇一六年、セーブ・ザ・チルドレン・ジャパンが中心となり、「子どもに影響のある広告およびマーケティングに関するガイドライン」*9を発表した。これは二〇一二年三月に三つの国際組織、国連グローバル・コンパクト、ユニセフ、セーブ・ザ・チルドレンが「子どもの権利とビジネス原則」を発表したことを受けての動きだ。「子どもの権利を尊重し、推進するようなマーケティングや広告活動を行なう」という原則のもと、事業者が子どもの発達や特性に配慮した広告およびマーケティングを実施する際の指針だが、規制を避けたい食品業界や広告業界は消極的で、立法には至っていない。

他国での取り組みが進むなか、日本政府の明確な方針と拘束力ある法規制が求められている。子どもや若者を広告から隔離して保護するだけでなく、デジタル広告の仕組みを伝え、正しい情報に基づく意思決定ができるためのリテラシー教育も当然必要だ。デジタル社会がすべての人に影響を及ぼすようになった今、それは未来世代に対する私たち大人の責任である。

第4章

暗躍するデータブローカー

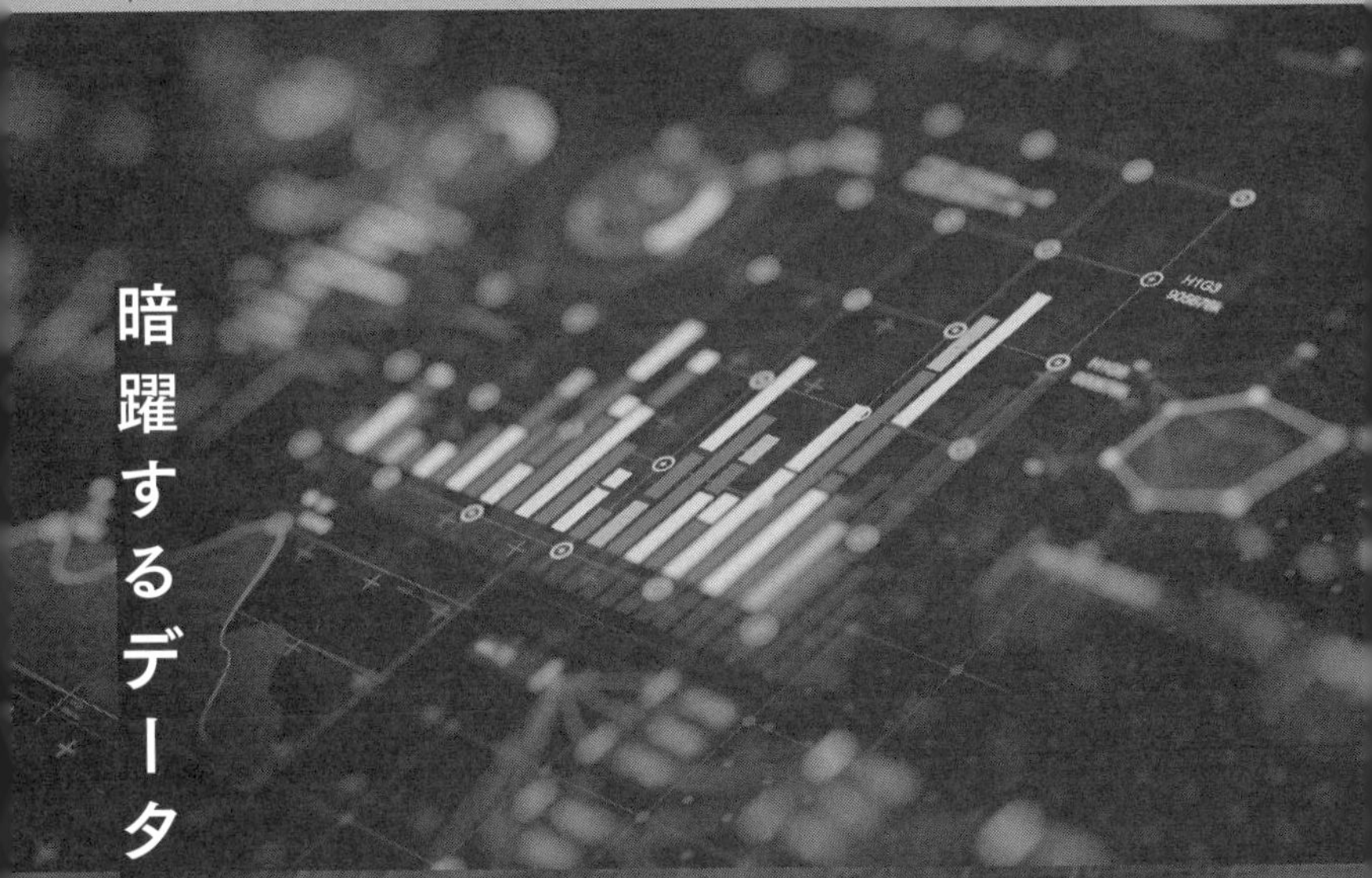

© Chaosamran_Studio/Shutterstock.com

「米カトリック教会の幹部司祭ジェフリー・バリル氏、同性愛者向け出会い系アプリ使用とゲイバー通いが発覚し、辞任」

二〇二一年七月、米国メディアが一斉に報じたこの出来事は大きな話題となった。カトリック教会が同性愛に不寛容であるのは周知の事実だが、司祭の行動がスマートフォンのアプリを通じて追跡され、世間にさらされたことに、多くの人が違和感と恐怖を抱いたのだ。

いきさつはこうだ。米国のカトリック系メディア『ピラー』[*1]が、同性愛者を対象とした交流・出会い系アプリ「グラインダー」の利用履歴から、司祭が教会所有の住居などで同アプリを使用していたことを突き止めた。しかし、司祭はアプリ使用後は必ず、利用履歴をスマートフォンから削除していた。にもかかわらず、なぜ情報が流出したのか。

その理由は、「データブローカー」と呼ばれる仲介業者が、グラインダーから購入した利用情報を『ピラー』に販売していたからだ。同紙によると、入手時のデータは司祭のスマートフォンに関連づけられていなかったが、コンサルティング会社に分析を依頼すると簡単に特定できたという。

この一連の流れのなかで、二つの論点があらためて提起された。一つは、データを売り買いする「データブローカー」の存在、もう一つは、「個人が特定されない」として売買されるデータであっても、分析・処理をすれば誰がどこで何をしていたかが容易に特定できてしまうという実態だ。

データブローカーとは

データブローカーとは、人々の情報（生データ）を収集・購入し、それを他の企業や組織など第三者に販売することで利益を得る企業を指す。

日本では、いわゆる「名簿屋」に相当する。冒頭で紹介したような事例は、日本でも起こっている。たとえば二〇一四年、大量の個人情報の漏洩《ろうえい》が発覚したベネッセ・ホールディングスの事件だ。報道によると、容疑者の男性（ベネッセの子会社の業務委託先システム開発会社の社員）は計一五回にわたりベネッセから個人情報を持ち出し、名簿業者に二五〇万円で売りわたしていた。流出した情報は主にベネッセの通信教育を受講する子どもと保護者に関するもので、漏洩件数は、約三五〇四万件にも達した。事件発覚後、容疑者は不正競争防止法違反（営業秘密の複製）の疑いで逮捕。漏洩先は当初三社だったが、名簿は繰り返し転売され、最終的には少なくとも九五社にデータが渡ったと見られている。

ベネッセ事件ではデータを持ち出した人間が告訴され、集団訴訟も行なわれるなどその違法性が問われた。しかし、すべてのデータブローカー企業が法を冒しているわけではない。一般的には、ほとんどのデータブローカー企業は、各国の法律に則って合法的にデータを入手し、それを他者へ販売する。近年、米国を中心に上場企業やベンチャー企業が巨大な資本を投じて

表 4-1　米国の主要データブローカー企業

エクスペリアン（Experian）	信用調査サービスで知られる。個人の財務データを収集して処理し、銀行やカード会社、家主、身元調査員などにデータを販売する。
コアロジック（CoreLogic）	保険、住宅ローン、不動産業界の顧客に消費者情報、ビジネス・インテリジェンス、財務および不動産データを販売する。
イプシロン（Epsilon）	消費者の行動データを取得し、それを使用して消費者が購入に興味があるものについての分析情報を開発・販売する。
アクシオム（Acxiom）	消費者と視聴者のインサイト、予測分析などの包括的なデータを販売する。スポティファイ、メタ、フールー、ヤフーなどのブランドとも連携する。
ライブランプ（LiveRamp）	「ライブランプ・データプラットフォーム」を通じて、サイロ化されたマーケティングデータを提供。顧客はデータを単一の統合データセットに取り込むことができる。

出典：各種資料より著者作成

データブローカービジネスを展開している。

米国アーカンソー州に本社を置くアクシオム社[*2]は、年商一一億ドルの大手データブローカー企業だ。日本でもアクシオム・ジャパン社が展開する。データ収集と販売、分析やマーケティング調査など多様なサービスを顧客に提供しており、「世界の二五億人分のデータを所有している」と謳う。その他、コアロジックやイプシロン、レクシスネクシスなど大手データブローカーは多数あるが（表4-1参照）、GAFAほど名前が知られているわけではない。

図4-1　データブローカーのビジネスモデル

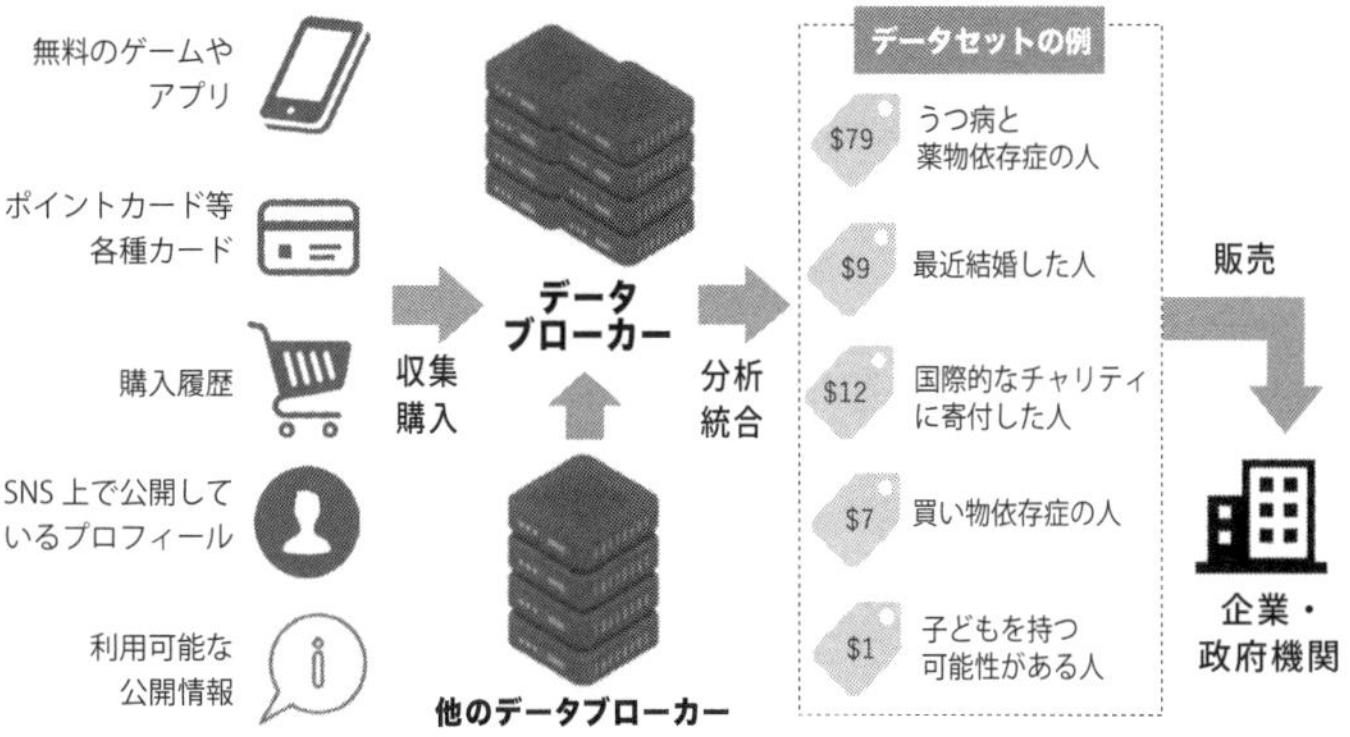

出典：各種資料より著者作成

そのビジネスモデルはこうだ（図4-1参照）。まずデータブローカー企業は、他社（クレジットカード会社など）からデータを購入するほか、公表されている各種データを収集する。たとえば住所が記載された選挙人名簿、車両登録、不動産価格や抵当権情報が記載された不動産登記簿など、個人が特定できるデータだ。米国はじめ多くの国では、アクシオムのような企業が、公開情報からデータ収集を行なうことが認められている。さらに、インターネット上の公開情報源（インスタグラム、フェイスブックなど）からデータを得ることもある。たとえばウェブサイトを見た際に、「第三者とデータを共有しない」という欄が出てくることがあるが、これにあなたがチェックをし忘れた場合、クッキーを含むあなたの閲覧履歴はそのサイトから、「第三者」つまりデータブローカー企業に販売される可能性もある。すでに私たちは、自身の個人情報をインターネット上で進んで公開している。たとえばＳＮＳのプロフィール欄の居住地や学歴、職業・職場、家族構成、趣味、既婚／未婚などだ。フェイスブックなどがこれら情報を自社で収集し、ターゲティング広告に利用していることは第2章でも紹介したが、実はこれら企業だけでなく、データブローカー企業も公開された個人情報を日々収集しているのだ。ほとんどの場合、これは合法的な手段とされている。

こうして収集したデータをもとに、データブローカー企業は属性ごとにデータベースを作成する。アクシオムの場合、「世帯構成」や「雇用と収入」、「ライフスタイルと関心」などの一二の分野の下に七五〇もの項目があると言われている。仮に、個人に関する生データがわずかだとしても、データブローカー企業は独自に開発したアルゴリズムなどの手法によって、個人の財産状況や人間関係、個人的興味や購買傾向について紐づけ、詳細な予測図を組み立てていくのだという。

このデータベースから、顧客の要望に応じてデータセットを作成し、販売するのだ。たとえば、ある企業が「カリフォルニア州に住む、四〇代の男性で、年収が六万ドル以上、大学卒で自家用車を持つ」人に広告を出したいと言えば、そのターゲット層のデータを販売する。もう少し複雑なデータセットとしては、たとえば、生命保険会社が「人々の趣味、興味、財務データなどの情報に基づく健康リスク予測スコアが欲しい」と要望すれば、それを生成し、販売することも可能だ。

データを購入するのは企業だけではない。米国国土安全保障省は、不法入国した子どもたちの拘束と強制送還を目的に、数百万人分の米国民の携帯電話の位置情報や自宅住所の情報を購入している。捜査目的では、電気やガス、水道などのインフラ利用情報も手に入れている。このようにしてデータブローカー業界には、消費者や市民の詳細な個人情報の販売によって数十億ドルが流れ込んでいる。

監視資本主義を推進するデータブローカー

ビッグデータとＡＩによって、私たちの行動は容易に予測されるようになった。この一大システムは「監視資本主義」と呼ばれ、その主要な担い手は米国のＧＡＦＡに代表されるビッグ・テックだが、データブローカーはここで「中間業者」として大きな役割を果たす。ＧＡＦＡの周辺で、データを買い占め、販売することで、監視資本主義のエコシステムをさらに強化しているのだ。

ところが、その実態やビジネス慣行は十分に可視化されていない。ＧＡＦＡへの規制や批判が強まるなか、データブローカー企業は同様の批判をうまく潜り抜けていると言ってもいいだろう。ここに、合法的に行なわれるビジネスの闇がある。

たとえば、郊外に暮らす貧困家庭を対象に高金利ローンの広告を出したい企業がいたとしよう。この企業は、データブローカーに「郊外でぎりぎりの生活をしている人々」のデータセットを依頼し、購入する。あるいは経済的に不安定な層を人種別に特定したい場合は、別のデータブローカーが持っている「大都市圏の人種的少数派で経済困窮者」というデータセットを購入する。このデータに基づき、高金利ローン会社が貧困層をターゲットに広告を出せば、生活に苦しい人々がローン地獄に陥る危険がある。しかもその人たち自身は、「なぜ自分にそうした広告が見せられるのか」「自分のデータがどのように収集・分析されているのか」について、何も知らされないままである。

二〇一七年、『フィナンシャル・タイムズ』紙の欧州テクノロジー担当記者であるマドゥミタ・ムルギア氏は、データブローカーの実態を明らかにするため、自身の個人情報がどこまで収集され、それらが統合されて自分がどのようにプロファイリングされているのかを調査した。

「データ追跡会社（データブローカーの形態の一つ）と呼ばれる企業が行なった私についての分析は、私という人間をかなり忠実に定義していました。二六歳のアジア系英国人女性で、メディア関係の仕事に就き、住まいはロンドン南西部。過去にサセックスの二つの住所とロンドン北東部の二つの住所に居住、子ども時代をケントにある一戸建てで家族と過ごし、毎年休暇でインドを訪れていた。家族は買い物のほとんどをオンライン・ショップのオカドで済ませ、タイ料理とメキシコ料理を好み、慈善事業にも寄付している。映画やベンチャー企業に関心があり、金曜日には仕事帰りにパブに行くことが多い。過去一二カ月の間に休暇を五回取得、年収は約三～四万ポンド……」[*3]

ムルギア氏は、自分に関するプロファイリングの結果に衝撃を受けたという。グーグル・マップ、検索履歴、フェイスブックのやりとり、クレジットカードの決済履歴などインターネットを利用するたびに行動履歴が逐一記録されていることは知っていたが、その「断片」をつなぎ合わせれば、ここまで統合的な分析ができてしまうのだ。

「利潤追求システムに対する不安がさらに高まりました。購買行動や位置情報などが公の情報（土地登記や住民税、有権者登録など）とも組み合わせられると、大したことのない情報が多くを露呈しはじめます。たとえばフィットビットという健康アプリは、心拍数や歩き方を測定し記録します。このデータが第三者に提供されれば、身長、体重、性別までも特定することが可能です。私たちの生活は、このようなデータ製品にパッケージ化され 売り物にされている。言わば私たち自身が『製品』なのです」

位置情報も頻繁に売買されている

もちろん英国や日本、そして多くの国で、私たちのプライバシーは個人情報保護法等の法令で守られている。たとえば英国の法律では、利用者の情報を第三者と共有・販売する場合、氏名や国民保険番号など個人を特定できる情報を取り除かねばならない。しかしそのように処理され、断片化された情報であっても、データブローカーによって簡単に再統合されてしまう事例が数多く報告されている。

米国の市民ジャーナリズム団体「マークアップ」の調査によると、米国では個人が住宅の賃借を拒否されたケースのうち、審査企業が誤った情報を利用したせいで生じた例が多数報告されている。こうした場合、情報はデータブローカーや個人情報の検索を仲介するサイトから購入されることが多く、不正確な情報に基づく身元調査のせいで家が借りられず、仕事に就けなかった人々がすでに生じている。こうして貧困層やマイノリティなどの弱みに付け込み、ターゲティング広告が自在に行なわれれば、貧困や差別はさらに強化されてしまう。しかも皮肉なことに、私たちは自分の「名前」を最重要の個人情報だと理解する傾向があり、事実そうだ。しかし、監視資本主義において、個人の名前はほとんど意味をなさない。企業にとっては、その人が何を購入する可能性が高いか、いくらのローンを支払えるのか、という情報のほうが意味を持つ。そしてその情報は、ネットの海から容易にすくい取ることができる。ムルギア氏は、「私が突き止めたのは、オンライン上の匿名性など存在しないということです。データブローカー企業は、私の名前を知らなくても、私についてよく知っています」と言う。

また、さまざまな情報のなかでも重要性を増しているのが、個人の位置情報だ。冒頭のカトリック司祭の一件も、アプリから取得された位置情報によって居場所や通っている場所が特定された。先述のアクシオム社は、「個人の位置ベースの端末データ」を扱うことを掲げている。

同じくデータブローカー大手のレクシスネクシス社は、最近の運転免許証の記録を使って「個人の現在の居場所を明らかにできる」と謳う。エクスペリアン社はモバイル端末の位置情報を提供できると明記、オラクル社もユーザーのリアルタイムの位置情報をもとにしたマーケティングサービスを売り込んでいる。

位置情報そのものは「個人情報」に当たらず、位置情報に氏名や属性情報が紐づけられた場合に「個人情報」として扱われる。企業が取得・利用する場合には、①個人の同意が必要（第三者へ提供する場合には別途）、②個人が特定されないようデータ加工をする、などの方法がとられている。しかし実際、私たちはデータブローカーによる分析や販売についても理解したうえで注意深く「同意」しているだろうか？　またデータ加工がなされても、先述の通り、再度の統合・分析をすれば個人が特定されるリスクは残る。

監視されるのではなく私たちが企業を監視する

欧米ではデータブローカー企業への懸念の声は二〇一五年前後から存在してきた。

二〇一四年五月、米連邦取引委員会は、「データブローカー──透明性と説明責任の要求」と題する報告書を発表した。[*4] 九社のデータブローカーについて調査し、それらが米国のほぼすべての消費者の詳細なプロフィールを、オンライン・オフラインのさまざまな情報源から、本人が知らないうちに収集している実態を明らかにした。同時に、ブローカーによるデータ収集法や、データの用途・販売について、またそれらを修正・削除する方法について、より簡単に消費者が知ることができるための法律が必要だと提起した。同委員会代表のエディス・ラミレス氏は、報告書の発表時にこう述べている。

「データブローカーは、あなたが住む場所、購入するもの、収入、あなたの民族、子どもの年齢、健康状態、そしてあなたが興味を持つものや趣味について知っています。この業種は闇のなかで活動しており、そこで扱われている情報の膨大さは驚くべきものです」[*5]

しかし、データブローカーへの規制は、どの国でも大きな進展は見られない。規制の難しさには、政治的な理由もある。マークアップの調査によれば、二〇二〇年、データブローカー企業による連邦政府へのロビー費用は二九〇〇万ドル（二五社の合計）だった。[*6] 参考までに、フェイスブックは一社だけで年間約一九〇〇万ドルをロビー費用に使っている。それには及ばないものの、データブローカー企業によるロビー費用は年々増加しており、GAFA企業にも匹敵する勢いだと同団体は分析している。

データブローカーに特化した規制を

二〇二三年一〇月一〇日、カリフォルニア州で、データブローカーへの規制を目的とする法律である「削除法」[*7]が成立した。同法は、カリフォルニア州で営利を目的として運営しているデータブローカー事業者のうち、年間総収益が二五〇〇万ドル以上、または年間一〇万件以上の個人・世帯の情報を購入・販売・共有する事業者などを対象としている。内容を簡単に言えば、この法律によってカリフォルニア州の住民は、州内のすべてのデータブローカーに対して、自身の情報を削除するように要求することができる。すでに二〇二〇年に成立しているカリフォルニア州消費者プライバシー法(CCPA)では、住民が企業に個人情報の削除を要求する権利を認めていたが、企業ごとに個別に要求する必要があった。削除法のもとでは、一回の要求ですべてのデータブローカーからの削除が可能となる。CCPAをはじめカリフォルニア州ではデータブローカーを含むビッグ・テックへの規制が進むが、全米最大の経済規模である同州でのルールづくりは他州・他国への影響も大きく、注目される。

また連邦政府でもデータブローカーへの対応は重要課題となっている。二〇二三年八月、ホワイトハウスにて「有害なデータブローカーの慣行から米国民を守るための円卓会議」[*8]が開催された。会議は米国科学技術政策局、国家経済会議、消費者金融保護局、連邦取引委員会、司法省が主催したもので、市民社会のリーダー、研究者、政策立案者など約二〇名が参加。民主主義と技術のためのセンター(CDT)、パブリック・シチズン、米国消費者連盟、電子プライバシー情報センター(EPIC)、「公正な未来の法」など、ビッグ・テック批判を続けてきた主要NGOが並ぶ。政府側からも大統領補佐官兼国家経済会議局長のラエル・ブレイナード氏をはじめ、連邦取引委員会委員長のリナ・カーン氏、科学技術政策局首席副補佐官のディアドレ・K・マリガン氏、消費者金融保護局局長のロヒト・チョプラ氏など、関連省庁からトップクラスが出席するという重要会議だ。データブローカーの存在自体が十分に知られていない日本の状況と比べると、格段の差を見せつけられる思いだ。

「昨今のAIの進歩により、個人のライフスタイル、欲望、弱点について推論を引き出すデータブローカーの能力が急速に拡大している」

「データブローカー経済が信用取引、保険、住宅、雇用、広告における差別的慣行を可能にし、脆弱層に不当に損害を与えつづけている」

「不正確なデータ、古いデータ、目的にそぐわないデータなど、その人に関するセンシティブな情報をブローカーが購入したことで、クレジットや住宅への申し込みが拒否された人たちがいる」

「データの販売（特に位置情報）によって、女性へのストーキングや嫌がらせ、医療アクセスの妨害が起こっている」

参加した市民社会メンバーはそれぞれの視点から、データブローカーのビジネスモデルが引き起こしている問題点を次々と指摘した。

この会議が注目されたのにはもう一つ理由がある。会議に先立ち、消費者金融保護局は、データブローカーによる特定のデータ販売を禁止する内容を含む新たな規則を提案すると発表したのだ。規制当局のこの動きを、市民社会は歓迎している。

「あまりにも長い間、データブローカーはほとんど監視されずに米国民の個人データから利益を得ることを許され、人々のプライバシーと安全を危険にさらしてきました。消費者金融保護局の行動は、データブローカー市場に、私たちが切望する透明性と説明責任をもたらすでしょう」（EPICのベン・ウィンターズ氏）[*9]

GDPRをはじめ個人情報保護に関する一連の法規制を整備する欧州でも、当然データブローカーを通じたプロファイリングや情報流出は問題視されている。EUでは特に二〇一八年のケンブリッジ・アナリティカ事件（後述）の後、各国の情報保護機関がデータブローカーの調査に乗り出し、規制の対象とする動きがある。また市民社会からの問題提起も活発だ。プライバシー・インターナショナルは二〇一八年一一月、オラクル社など大手七社のデータブローカーの行動を調査し、フランス、アイルランド、英国のデータ保護当局に苦情を申し立てた。[*10]調査報告書は次のように指摘する。

「データブローカーは市民の教育や家族などに関する詳細、また名前と住所との組み合わせを、本人の同意なしに収集しています。またデータブローカーは、オンライン購入から政治的信条に至るまで、個人のデータを追跡しており、市民がそのデータを修正または削除することは困難です。何百万人もの人々のデータを活用しているにもかかわらず、彼らの慣行が異議申し立てされることはほとんどありません」

こうした動きが進む一方、すでに多岐にわたるデータが多様な経路で日々、売買されている。その多くが「合法」だが、単に法律がないために「違法でない」だけだったり、「どこにデータが渡り、誰がどう使っているのか把握できていない」状態であったりと、全容はきわめて不透明だ。そこに規制の網をかけ、透明性を高めるためには時間を要する。そうしているうちに、私たちの情報はブローカーによって次々とマーケティング市場へと送られていく。先述のムルギア氏は、自身のプロファイリングを突き止めた後の避難策として、次のように経験談を語る。

「何もかもをやめるなんて現実的に無理でした。SNSや検索、経路探索アプリは、すべて私が慣れ親しみ、必要とする生活の一部だからです。どうするかを考えた時、知識そのものが力になりうるのだと気づきました。私のデータが収集されるさまざまな方法を知っていることで、どこに情報を開示するかに責任を持てます。たとえば『無料』を謳ったサービスへの登録をやめました。アプリをダウンロードする時は、どの情報の利用許可を与えているかを必ずチェックし、位置情報など不必要なものはオフにします。自分のデータが残す足跡に気づきはじめる人が増えれば、こうしたデータの保護と管理を企業に要求することができるでしょう。企業が軽率に個人情報を漁って保管し、無作為に販売することがコストに見合わなくなる日も来ます」

まずは、データブローカーのビジネスモデルを可視化し、ブローカーが私たちの情報について何をしているのかを明らかにすることが大きな一歩である。

第5章

アルゴリズム・ジャスティス

(cc) TechCrunch

独立研究機関「DAIR」を立ち上げた
AI倫理研究者のティムニット・ゲブル氏

(cc) GRuban

アルゴリズム監査会社を創設した
データ・サイエンティストのキャシー・オニール氏

解雇されたAI倫理研究者の挑戦

「AIは、地に足をつける必要があります。『AIは超人的なレベルにまで高められていて、それは必然であり、人間の制御を超えるものだ』と、私たちは信じ込まされています。AIの研究、開発、実装が最初から人間やコミュニティに根差したものであれば、その弊害に先手を打ち、公平性と人間性を尊重した未来を創造できるのです[*1]」

二〇二一年一二月二日、米国のAI倫理研究者ティムニット・ゲブル氏は独立研究機関「DAIR（分散型人工知能研究所）」を立ち上げると発表した。

遡ること一年前の同日、グーグルのAI倫理チームの共同リーダーだったゲブル氏は、同社から解雇された。DAIR設立をこの日に選んだのは、グーグルへの宣戦布告でもある。ウェブサイトには「グーグルから追放された記念日に」と題したプレスリリースが掲げられた。

解雇のきっかけは、彼女が同僚たちと共同執筆した論文だった。グーグルを含むテック企業が積極的に導入していた新たなテキスト処理技術にて、大量のテキストデータに含まれる人種差別・性差別の罵倒的な表現がAIに入力されれば、倫理上どのようなリスクが生じるかを分析した内容だ。

自社の技術を批判的に考察したこの論文は、グーグルにとって必ずしも歓迎されるものではない。グーグル側はさまざまな理由を挙げて論文を内部審査で通過させず、ゲブル氏は上司と対立した。その経緯を、「多様性や対話の欠如」と批判しつつ同僚の女性たちのメーリングリストに投稿したところ、「職務規定に反する」として、十分な説明もなく解雇されたのだ。グーグル側は論文について「関連した多くの先行研究を無視し、言語におけるバイアス問題の是正に関する言及が欠けていることなどから、グーグルの公開基準を満たさなかった」と説明している。

国内外で著名なAI倫理研究者の解雇のニュースは、世界中に瞬時に拡散された。解雇に反対するオンライン署名には、グーグル社員二六九五人に加え、学術・産業・市民社会からの支援者四三〇二人が署名。SNS上でもマイクロソフトなど同業企業のAI研究者が解雇を批判した。ところがグーグルは、ゲブル氏の解雇からわずか二カ月後、彼女の同僚だったマーガレット・ミッチェル氏も解雇するのである。立て続けに起こった二人の女性研究者の解雇に、同社への批判はさらに高まり、他部署の研究者の抗議辞職や、グーグルからの助成金の受け取り拒否をする団体も現れるなど、混乱が続いた。

この解雇は、グーグルを筆頭とするテック業界が、自ら標榜する「ダイバーシティ（多様性）」や「インクルージョン（包摂性）」とほど遠い現実にあることを浮き彫りにした。同時に、AI倫理の研究を、AIによって利潤を追求するテック企業内部で行なうことの矛盾と限界も証明した。

もともと、ゲブル氏の存在はシリコンバレーでも異彩を放っていた。三八歳、女性という理由だけではない。エチオピアのアディスアベバで生まれ育った彼女は五歳で父親を亡くし、一九九八年にエチオピア・エリトリア国境紛争が勃発すると戦禍を逃れるため国外脱出を余儀なくされる。当時一六歳だった彼女は、母親とともに米国に政治亡命を果たした。

マサチューセッツ州での高校時代、数学や物理の成績は飛び抜けて高く、卒業後はスタンフォード大学へ進学。同大学の人工知能研究所で博士号を取得した。卒業後はアップル社で働き、初代アイパッドの信号処理アルゴリズムを開発したのも彼女だ。その後、マイクロソフトの研究機関で「AIの公正性・説明責任・透明性に関する倫理グループ」の博士研究員として勤めた後、グーグルへ転職した。マイクロソフト時代には、アフリカ系アメリカ人の女性研究者ジョイ・ブオラムウィニ氏とともに、AIによる顔認識技術では白人男性より有色人種の女性を誤認識する確率が高いことを実証した経験もある。

第一線の研究者となったゲブル氏だが、社会に深く根差す差別や偏見、白人男性優位の秩序は常に乗り越えなければならない壁だった。

「多くの女性はSTEM（科学・技術・工学・数学）にとても興味があります。でも、時間が経つにつれて『脱落』していくのです。私が高校の数学で良い成績を挙げると、教師は信じられずに混乱していました。母に話すとこう言いました。『それはあなたがアフリカ出身だから。彼らはアフリカ人に数学ができるなんて思っていないのよ』」[*2]

女性や有色人種、途上国出身者への偏見はテック業界にも根強い。アイデアを出しても真剣に受けとめられず、会議から排除されることも多い。「多様性重視」と言いながら、日常は性差別的なマイクロアグレッション（日常の言動に現れる侮辱、否定的な態度）に溢れている――。この環境が変わらないかぎり、人々に真に役立つテクノロジーを生み出すことはできないと、ゲブル氏は確信している。

彼女は二〇一七年、黒人のＡＩ研究者のための組織「ブラック・イン・ＡＩ」[*3]を設立した。その四年後に立ち上げたＤＡＩＲの名称にある「分散型」の意味は、白人、欧米人、男性に偏る既存のＡＩ研究とは一線を画し、有色人種や女性、途上国などから人材を採用し、よりインクルーシブ（包摂的）な研究体制をめざすものだ。資金的にも独立し、ＡＩ研究におけるビッグ・テックの影響力に抗う。

ＡＩによる差別の拡大・固定化

一九五〇年代に提起されたＡＩは、学術界・産業界によって研究が重ねられ、現在は第三次開発ブームを迎えている。ゲブル氏が研究するＡＩ倫理は、時代の必然として登場し、いま最も注目される領域の一つである。

政府統計などの公的データや各種調査、企業が持つ顧客データや購入履歴、気象や地理データ、ＳＮＳから吸い上げたビッグデータをＡＩに入力し、機械学習をさせることで、さまざまな「予測」ができるようになった。この機械学習の際に用いられるのがアルゴリズム（計算式や計算方法）だ。その利用範囲は拡大の一途で、ＧＡＦＡによるプラットフォーム・ビジネスでは購買履歴に基づく「おすすめ商品」やターゲティング広告、金融分野ではファンド運用や不正検知、与信審査、医療分野では画像診断や創薬、他にも自動車の自動運転などでＡＩが活用されている。また、監視カメラからの画像やＳＮＳのデータをＡＩが分析し、警察が捜査に利用する場合もある。人間の判断より「公正・中立」で、作業も効率化されると、政府も企業もＡＩ導入に積極的だ。

しかし、各国でＡＩによる問題事例が次々と起こっている。以下はそのほんの一例だ。

- グーグルはフォトアプリで黒人の画像にゴリラのタグづけをしたことを謝罪（二〇一五年）
- マイクロソフトは会話を学習できるＡＩロボット「テイ」が差別的な暴言を吐くようになったためサービスを停止（二〇一六年）
- ウーバーの自動運転車が死亡事故を起こす（二〇一八年）
- アマゾンが差別的な人材採用ＡＩを廃止（二〇一八年）
- フェイスブックが収集するユーザーデータの一部が英国のコンサルティング企業に渡り、選挙戦で利用された（ケンブリッジ・アナリティカ事件、二〇一八年）

●ゴールドマン・サックスはアップル・カード利用者の信用スコアを算出する際、女性に不当に低いスコアを付け、カード限度額に差が生じたことが判明（二〇一九年）
●フェイスブックはＡＩによって「低所得者」と判断された人に対し、融資リスクが高いとして特定の広告を配信しないようにしていたことが判明（二〇一九年）
●英国の資格・試験統制機関オフクァルが取り入れたアルゴリズムによる成績予測評価が、労働者階級やマイノリティの生徒に不利な評価を下すと判明（二〇二〇年）
●韓国で開発された対話型ＡＩロボット「イ・ルダ」が、人種や性的マイノリティに関する差別発言をユーザーから「学習」し、連発したため発売中止（二〇二一年）

これらは「単なるミス」では済まされない。特に採用・人事評価や保険加入、教育、医療、警察による捜査など、人々の暮らしや人権侵害に直接影響するケースは深刻だ。

たとえば、多くの国で採用されている保険加入時のＡＩ査定では、年齢や職業、ローンの支払いの遅れなどさまざまな指標によって個人がスコアリング（格付け）され、各人の保険料が算定される。米国では黒人や貧困層は収入や支払い状況に問題がなくても「リスクが高い」と算定され、高額な保険料が課される事例がある。

また、生徒の成績上昇率や進路などをＡＩに学習させ、教員の評価を行なう「付加価値モデル」というシステムが米国のいくつかの州で導入されている。生徒や保護者からの人望も厚く、教育熱心だった教員が次々と「落第点」を付けられ、一〇〇人規模の大量解雇がなされた。

さらに、過去の犯罪歴などからAIが「捜査重点地域」を割り出し、その地域に多くの警察官が配備されることも米国では一般的だ。黒人や移民のコミュニティが指定されることが多く、当然、その地域での検挙数は増える。するとAIはそれをさらに「学習」し、延々とその地域は「捜査重点地域」に指定されつづけてしまう。また米国の一部の州では、AIの「再犯予測アルゴリズム」を使用し、裁判官はその結果を参考に保釈金額や量刑を決定している。たとえば「COMPAS」というシステムも、被告人の犯罪歴などさまざまなデータをもとに再犯予測値をはじき出すが、二〇一五年に独立系報道機関プロパブリカのジャーナリストは、このアルゴリズムでは白人よりも黒人に偽陽性が出ること、つまり黒人は「再犯率が高い」と間違って判定される割合が高いことを明らかにした。

もちろん、AIが意図的に差別をするわけではなく、すでに社会にある偏見や差別がバイアスとしてAIに投入された結果、「負の循環」を引き起こしてしまうのだ（図5-1参照）。大きく言えば、①AIの訓練に使用されるデータにおけるバイアス、②アルゴリズム設計におけるバイアス、③運用後に入力されるデータのバイアスだ。たとえば「医師には女性が少ない」という現実のデータを使って学習させれば、AIは「女性は医師に向いていない」という結果を出してしまう。

また、アルゴリズムを設計する際に、技術者の持つ固定観念や差別意識が論理の構築に影響

図5-1　AIの開発プロセスにおけるバイアス（偏見）のリスク

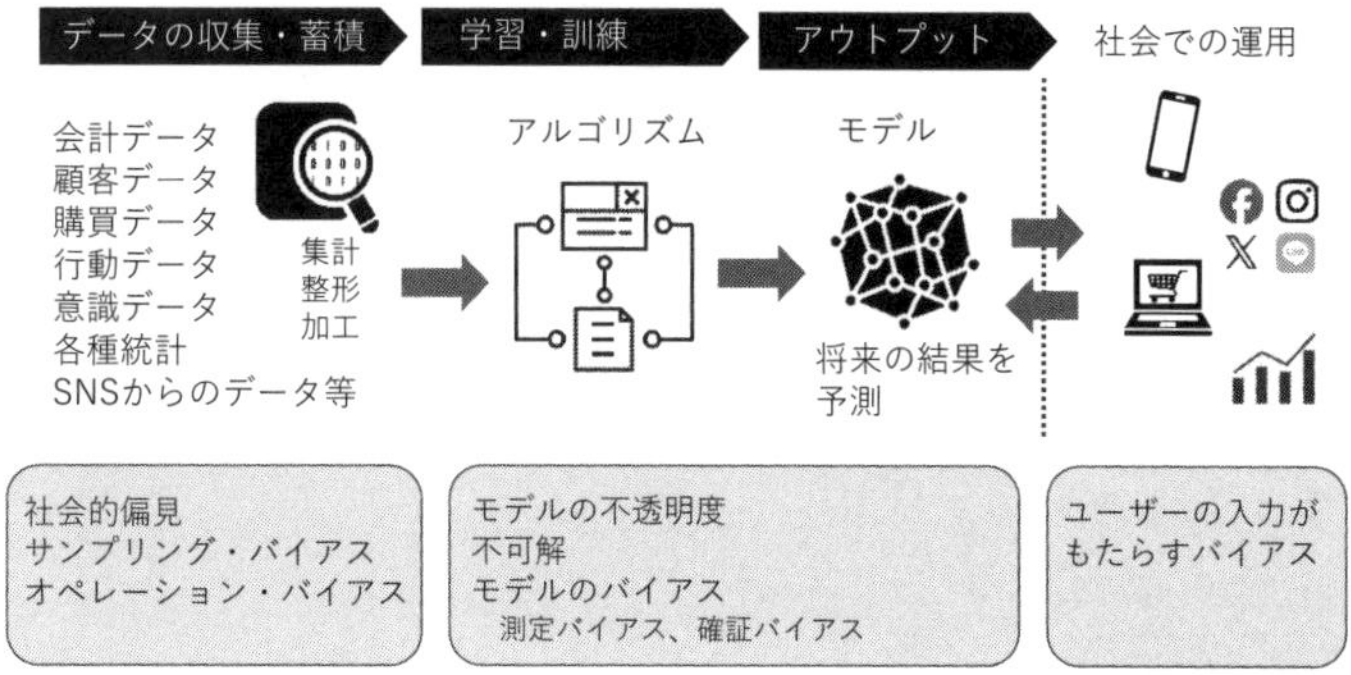

出典：著者作成

を及ぼす場合もある。さらに、運用後にユーザーが差別的な言葉を入力すれば（文法的には正しいが「隠語的」な差別表現の場合も含め）、ＡＩが学習してしまうこともある。

　問題は、これら入力データやアルゴリズム、パラメータ（外から投入される変数）などが利用者には非公開であることだ。ビジネスモデルの根幹であるアルゴリズムは、企業の「営業秘密」の壁によって固く閉ざされている。その結果、ＡＩが導き出した予測が「正しい」のか（しかもどのような目標や価値に基づく正しさなのか）は、検証の目にさらされることはない。さらに厄介なのは、私たちはすでに多くの場面で、こうしたＡＩによる予測やサービスを受け入れてしまっているという点だ。ＳＮＳの投稿、購入履歴に始まり、自分の情報がどこで収集され、ＡＩが「私」について何をどう予測しているのか、全容はわからない。この非対称性にこそ、問題の本質がある。そして、仮に問題に気づいたとしても、これらサービスの使用を「すべてやめる」という選択肢を除けば、私たちには対抗する手段はない。

「数学破壊兵器」としてのアルゴリズム

こうした状況を変えようとするもう一人のデータ・サイエンティストが、キャシー・オニール氏だ。

「アルゴリズムはいたるところに存在し、勝者と敗者を分けます。勝者は仕事や有利なクレジットカードを手に入れる一方、敗者は就職面接すら受けられず、保険料はより高くなる。私たちには理解できないうえに不服申し立ての機会もない。秘密の数式による格付けです。ここで疑問が湧いてきます。もしアルゴリズムが間違っていたら――？　恵まれた人はより恵まれるように、弱い立場の人はより脆弱な状況に追いやられます。ビッグデータを使ったアルゴリズムは、結果を予測しているのではなく、そうなるように仕組んでいる、ということです」[*4]（傍点は引用者）

青色に染めた髪とパワフルな語り口。多くの人が薄々気づいていた事実を、オニール氏は理路整然と可視化してみせる。彼女は人々に有害なアルゴリズムを「数学破壊兵器」と名づけた。

子どもの頃から数学を深く愛し、その世界に没頭してきたオニール氏は、ハーバード大学で数学の博士号を取得、名門女子大バーナード・カレッジの教授を経て、米国最大手のヘッジファンド「D・E・ショー」に就職した。まさに数学者として成功まっしぐらの経歴だ。D・E・ショーでは、高度な数学的手法を用いた金融工学の専門家「クオンツ」として働いた。彼女が生み出す演算式によって、毎日数兆ドルのマネーが世界中を駆けめぐった。

しかし、同社で働きはじめてわずか一年の二〇〇八年秋、リーマン・ショックと金融危機が世界を襲う。彼女は数学者としてこの経済危機に「加担してきた」と痛感した。

「住宅危機、大手金融機関の倒産、失業率の上昇――いずれも、魔法の公式を巧みに操る数学者によって助長された。それだけではない。私が心から愛した数学は、壮大な力を持つがゆえに、テクノロジーと結びついてカオスや災難を何倍にも助長させた」[*5]

経済危機の打撃を最も深刻に受けたのが貧困層だという現実を前に、オニール氏は「ウォール街を占拠せよ」運動にも参加しながら、アルゴリズムによる加害を研究しはじめた。ところが、彼女をさらに落胆させたのは、金融危機後の政府や企業の行動だった。金融機関は莫大な公的資金を投入されて生き延び、金融工学に依拠するマネーゲームは危機の教訓から学ぶことはなかった。新たな数学的手法としてのビッグデータ活用が脚光を浴び、データ資本主義は加速。そして現在のＡＩブームが到来した。

数学者や統計学者が開発したＡＩのアルゴリズムが、まさに「数学による破壊兵器」として、人々の現実により広く影響を与える時代がやってきた。

そこで彼女は、二〇一六年に「オニール・リスクコンサルティング&アルゴリズム監査(ORCAA)[*6]」という小さな監査会社を立ち上げた。営業秘密であるアルゴリズムの開示は現状の法制度のもとでは不可能だが、それを「監査」することは可能なはずだ――。オニール氏は、「企業の決算は監査されているのだから、それと同じようにすればいい」という。

「アルゴリズム監査」というユニークな発想は、実は米国政府も二〇一五年頃から注目してきた。オバマ政権時代の二〇一六年五月、米国政府は「ビッグデータ――アルゴリズム・システム、機会、市民権に関する報告書」を公開。ここで「人々が公平に扱われていることを確実にするために、アルゴリズムの監査とビッグデータの外部テストに関する学術研究と産業界の発展を促進する」ことの重要性が指摘されている。オニール氏はいち早くそれを実践したというわけだ。

「アルゴリズムとは、客観的で正しく科学的なものではなく、プログラムに埋め込まれた『意見』なのです。誤ることもあれば、善意に基づいていても破壊的な影響を及ぼすこともある。アルゴリズムを信用させたり恐れさせたりするのも、マーケティング上のトリックです。みな数学を恐れつつ信用していますから」

ORCAAは、クライアント企業のアルゴリズムの設計や利用方法、データの獲得方法やコードの試験方法、システムのメンテナンスなどの情報を精査する。その際の指標は、①データの完全性(データにバイアスが含まれていないか)、②成功の基準(開発者が「成功」と定めた基準が間違っていないか）、③正確性（アルゴリズムが誤りを起こす頻度や対象の分析、失敗した時の損失規模など）、④アルゴリズムの長期的影響（社会や人々に及ぼす負の連鎖がないか）だ。監査を通じて、経営者はもちろん社内のプログラマーたちが倫理の課題に気づき議論を始めることが重要だと彼女はとらえている。監査中は何度も、「アルゴリズムが成功した場合、誰に影響がありますか？」「失敗した時、被害を受けるのはどんな人たちですか？」と問いつづける。

「私たちはアルゴリズムの時代に何の準備もなく到達してしまいました。アルゴリズムは完璧でも公平でもなく、過去の行動パターンを成文化し、自動的に現状を維持するだけです。しかも民間企業が自ら使用したり政府機関に販売したりする『私的な権力』です。『民間なら競争が働くから市場の力で解決するのでは？』と思っても、そうはいきません。不公平は多大な利益を生み出しますから。だからチェックし、公平性を確かめる必要があるのです」[*7]

規制の動き

ＡＩが固定化・再生産する差別や偏見への懸念は、二〇一〇年代以降、各国政府や国際機関の間でも議論が進められてきている。たとえば二〇一九年には経済協力開発機構（ＯＥＣＤ）が「ＡＩに関するＯＥＣＤ原則」を採択したほか、各国・機関で数々のガイドラインが策定されてきた。

しかし、急速なＡＩ利用の拡大にともなう数々の問題ケースは、法的拘束力のないガイドラインでは対応不能な段階に入った。特に二〇一八年のケンブリッジ・アナリティカ事件などをきっかけに、ＡＩ技術が民主主義への脅威となることへの懸念は高まりつづけている。こうしたなか、二〇一九年以降は、ＡＩへの実行力ある法規制や規制当局による介入の必要性が国際的な共通認識になりつつある。

これを最も積極的に進めるのは欧州だ。二〇一九年、欧州議会は「ＡＩに関する倫理ガイドライン」にて、「信頼できるＡＩには、全ライフサイクルを通じて、エラーや矛盾に対処しうる安全かつ確実、堅固なアルゴリズムが必要」とした。

ＡＩに対する直接的な規制案として登場したのが、二〇二一年四月二一日の「ＡＩに関する包括的かつリスクベースアプローチに基づくＡＩ規制案」[*8]だ。規制案は、欧州域内に拠点がある事業者のみならず、欧州市場でＡＩシステムやそれを使ったサービスを提供する事業者にも適用される（つまり日本企業や米国のＧＡＦＡも含む）。また、禁止されるＡＩを運用した場合には、三〇〇〇万ユーロまたは前年度総売上高の六パーセントの制裁金が科せられるなどの罰則が設けられている。ＡＩ規制のルールメイキングを主導しようとするＥＵの動きは、日本の法規制にも影響を与えるため注目すべきだ。しかし、罰則規定つきの強い規制に対し、ＥＵ産業界は「イノベーションが阻害される」などと反発。長い議論を経て、二〇二三年一二月、ＥＵ理事会と欧州議会は暫定的な政治合意に達した。今後は正式な採択を経て二〇二六年中に適用が開始される。

米国では、プラットフォーム企業の規制は、常に表現の自由との対立、通信品位法との対立の構図で議論が膠着してきた。しかし近年、自治体レベルでAIによる顔認識技術を禁止する条例制定が進み（第1章参照）、連邦取引委員会による反トラスト法に基づく調査が行なわれるなど、AIとアルゴリズムをめぐる規制の議論は活発化している。

一方、日本ではAIをめぐるガイドラインが二〇一八年頃から政府主導で策定されてきた。AI倫理規範をつくる企業も増えている。しかし日本の個人情報保護法ではそもそもアルゴリズムの透明性に関する規定はなく、EUのAI規制案やデジタル・サービス法などと比べれば十分とは言いがたい。他方、日本政府は警察捜査や防犯にAIを取り入れる方針を出し、二〇一九年から実証実験を行なっている。防犯カメラに映った車の画像データをAIに学習させ車種を割り出す仕組みや、金融機関からの情報をAIに入力し、マネーロンダリングを摘発するなどの実験が重ねられてきた。さらに二〇二一年五月に警察庁は容疑者のSNSをAIで解析し、人物の相関図を作成する捜査システムの導入も決めた。警察権力によるAI使用は、企業よりもはるかに透明性が低い。日本でもAIやアルゴリズムにまで踏み込んだ法規制や責任の明確化、アルゴリズムの開示要請についての議論が喫緊の課題だと言えよう。

このように、AIとアルゴリズムの透明性を高め、公正で倫理的なものにするべきとの主張は、各国政府や市民社会のコンセンサスとなりつつある。これに押される形で、ビッグ・テックやコンサルティング企業も、ＡＩ倫理を企業価値として採用しなければ生き残れない局面に入った。

二〇二一年、ゼネラルモーターズ、ＩＢＭ、メタなど米国有数の企業は、ＡＩが雇用における差別を永続・悪化させないための「データ&トラスト・アライアンス」[*9]を結成した。このような動きは歓迎すべきだが、大企業群の「自主努力」を一〇〇パーセント信頼できるのかは慎重になる必要があるだろう。「環境に優しい」「社会貢献」と言いながら、実は企業ブランド向上の手段にすぎなかったり（「グリーン・ウォッシュ」と呼ばれる）、一過性の表面的な取り組みに終わったりする事例を、私たちは数多く目撃してきた。同時に、米国でも欧州でも、テック業界は規制を逃れるために莫大な資金をつぎ込み、政府や議員にロビー活動を続けている。仮に法律ができたとしても、それを無力化し、網の目をかいくぐって利益を享受するだけの「力」を、彼らは持っている。

よりラディカルで、根本的な改革を

ゲブル氏やオニール氏の取り組みは、政府や大企業による動きとは一線を画し、よりラディカルで、根本的な改革をめざすものだ。

「データ・サイエンティストに伝えたいことは、私たちが真実を決めるべきではない、ということです。私たちは、社会に生じる倫理的な議論を解釈する存在であるべきです。そして、それ以外のみなさんに伝えたいのは、この状況は『数学のテスト』ではなく『政治闘争』であるということです。専制君主のようなアルゴリズムに対して、私たちは説明を求める必要があります。ビッグデータを妄信する時代は終わらせるべきです」（オニール氏）

こうした動きは研究者たちの間にも広がる。

元グーグル社員のトリスタン・ハリス氏は、同社の個人データの収集・利用方法に疑問を抱き離職、ＩＴ産業の行動規範の正常化を提言するＮＰＯ「人間の技術のためのセンター」を立ち上げた。先述のジョイ・ブオラムウィニ氏は、「アルゴリズムの正義連盟」を設立した。ＢＬＭ運動から生まれた「黒人のためのデータ」は、データを通じた黒人差別をなくし、テック業界の変革と市民参加型の技術をめざす数学者・活動家による運動だ。

大学にもこの動きは広がる。ニューヨーク大学内に設立された「ＡＩ・ナウ・インスティテュート」は、ＡＩシステムが適用されるコミュニティや人間に対し説明責任を果たすための学際的な研究をめざす。連邦取引委員会はこの機関から三名の研究者を採用した。同時に、ＡＩによる判断や解釈の説明責任を果たす「ホワイトボックス型ＡＩ」の研究開発も進む。さらに、マサチューセッツ工科大学に設置された「データ＋フェミニズム研究室」[*10]所長のカトリーヌ・ディグナツィオ氏らは、ＡＩやアルゴリズムの権力性をフェミニズムの視点から問題提起するなど、ビッグ・テックのビジネスモデルを根幹から揺さぶるような研究が続々と現れている。

　こうした動きの先頭に立つのがゲブル氏やオニール氏のような女性研究者であることは、決して偶然ではない。ビッグ・テックの規制や産業全体の改革には、少なくとも一〇年、長ければ数十年はかかるだろう。ここに、これまでＡＩ技術の研究から排除されてきた女性や有色人種、マイノリティ、そしてＡＩ技術の影響を受ける当事者やコミュニティが参画し、既存の慣習や支配的な文化を変えることが、最初の一歩だ。

　日本でもこのような認識に立ち、研究者・技術者と政策立案者、市民が独立的な立場でより開かれた研究・活動を行なうスペースを拡大していく必要がある。

第6章

小農民の権利を奪うデジタル農業

© 2011CIAT/NeilPalmer

インド北部ヒマーチャル・プラデーシュ州の農村。急峻な地形は水も不足し土地も痩せているため機械化や自動化は適さない。こうした小農民が世界の食料供給を支えている

「言論の自由の抑圧をやめろ！」

「No Farmers No Food（農民なくして食料なし）」

二〇二〇年一二月一七日、米国カリフォルニア州メンロパークのフェイスブック本社前には、多数の抗議者が集結していた。市場の独占や大統領選挙での投票行動操作、不透明なターゲティング広告など、フェイスブックへの批判の種は尽きることがなく、同社への抗議行動はもはや珍しい光景ではない。しかし今回のデモは、先進国の消費者やプライバシー保護団体といった典型的な抗議とは様相が異なる。集まった人々の多くは、頭にターバンを巻いたインド系米国人だったのだ。

この抗議活動から三日後の一二月二〇日には、カナダ・バンクーバーのフェイスブック社前でも同様のデモが行なわれた。ここでは、「われわれはインド農民の側に立つ」と書かれたバナーが掲げられていた。

フェイスブックとインドの農民に何の関係があるのか？　と多くの人は思うだろう。ここには、世界に広がるビッグ・テックの新ビジネスが引き起こしている大きな問題が隠れている。それは、これら企業がデジタル農業分野へと進出し、生産と流通、販売、機材購入から金融ローンまでを含むフード・システム全体を統合する動きである。

インド新農業法に反対する農民

米国でのデモから約三カ月前の二〇二〇年九月末、インドではモディ政権による農業関連法案が可決・成立した。法案は「二〇二〇年農産物流通促進法」「農民保護・支援・価格保障および農業サービス法」、そして「改正基礎物資法」の三つであり、まとめて「新農業法」と呼ばれる。

新農業法に対しては、審議前から農民による反対運動が起こっていたが、拙速な審議で可決されると農民の怒りは沸点に達し、一〇月以降に反対運動は激化していった。一一月末の段階で、全国で二億人以上が抗議デモやストライキに参加。新型コロナウイルス感染者が多数出ているなかでも、三〇万人近くがデリーと周辺都市に集結し、同法の破棄・撤回を求めた。米国やカナダでのデモは、この巨大なうねりのなかに連なる行動の一つである。

フェイスブックとの関係を述べる前に、新農業法について簡単に触れておこう。同法の狙いは、農産物流通の自由化と農業セクターへの民間資本導入である。これまでインドの農民は、「マンディ」と呼ばれる地域ごとの公設市場でほぼすべての農産物を販売してきた。公設市場では政府が最低支持価格を設定しており、一定の保護がなされてきたと言っていい。新農業法のなかの「農産物流通促進法」は、農業改革の一環として規制緩和を行ない、農民が自州以外の市場やスーパー、食品会社などの民間企業にも自由に農産物を販売することを可能にする。モディ政権は、この改革は伸び悩む農民の所得向上につながるとアピール。長年にわたりマンディで農産物を買い叩いてきた仲介業者を一掃しようとする意図もあった。ナレンドラ・シン・トマー農相は「新農業法は農産物の州間での取引を促進し、農民に幅広い選択肢を与える」とメリットを強調した。

しかし、提案の拙速さや事前の説明不足もあり、農民の多くは「最低支持価格による政府の農産物買入制度が廃止される」と理解した。「誤解だ」と政府は必死に説明したが、新自由主義的な政策を進めるモディ政権下の「改革」への農民の不信は根強い。また実際、食品会社に対し交渉力のある大規模農家には朗報かもしれないが、小規模零細農民にとっては、農産物を買い叩いてくる相手がマンディから食品会社に代わるだけで、農民間の格差もさらに広がると指摘されてもいる。経済学者たちは、「この法律が施行されれば、価格支持型市場は完全に消滅する」とし、多くの零細農家が廃業に追い込まれる危険性を指摘した。こうした理由から農民は一斉に反対し、警察との衝突も含めた空前の規模のデモがインド全土に広がったのだ。

フェイスブックとインド企業の協働

新農業法への反対運動は、インターネット上でも繰り広げられていた。ＳＮＳを使った情報発信やデモの呼びかけが続くなか、フェイスブックは、同法に反対する内容のページを突如削除した。これに気づいた農民や市民がすぐさま同社に抗議をすると、そのページは復元され、同社は「削除は誤り」との弁明を行なった。しかし、農民たちの怒りは収まらなかった。あるページが削除され復活したということ以上の根深い問題があったからだ。

新農業法に反対する人々の間では、「フェイスブックは新農業法制定に深く関与している」との疑念が持たれている。二〇二〇年四月、フェイスブックはインド最大の通信事業者であるリライアンス・ジオ・プラットフォームズに五七億ドルを出資し、約一〇パーセントの持ち分を取得すると発表した。同社は、総合企業であるリライアンス・インダストリー（石油・ガス開発、小売、インフラ、バイオテクノロジーなどの事業を手がけるインド最大のコングロマリット）が保有する会社で、その筆頭株主は大富豪のムケシュ・アンバニ氏だ。

リライアンス・ジオ・プラットフォームズは、系列企業のリライアンス・リテイル（インド最大の小売チェーン）と提携し、電子商取引サービスを計画していた。リライアンス・リテイル社は、インドの食料品分野で四〇パーセントのシェアを支配しているとされる。新農業法が成立すれば、同社は農民から直接農産物を買い取る最大手企業となり、利益の拡大が見込まれる。当然、提携するジオ・プラットフォームズの株主であるフェイスブックにも利潤がもたらされる。フェイスブックは、自らの利益の確保のために抗議のページを削除したのではないか――。そう確信した農民たちは、ジオのＳＩＭカードを燃やしたり、「モディとザッカーバーグは、アンバニの操り人形だ」と書いたバナーを掲げるなどして、これら企業の「結託」を糾弾した。

フェイスブックがインド市場から得られるのは、株主としての利益にとどまらない。同社が所有するメッセージやビデオ通話の無料アプリ「ワッツアップ」は、インドで五億人以上のユーザーがいる。新農業法によって農民がリライアンス・リテイル社に農産物を販売する際、支払いは関連するアプリ「ワッツアップ・ペイ」を使うよう指定される可能性がある。どの農家が何をいくらで販売したのか、また消費者はどの商品をいくらで買ったのかなど、多岐にわたるデータを、一つのアプリを通じて一気に収集できるようになるのだ。

さらに、このアプリは、資金調達に苦しむ農家に高金利ローンを提供することもできる。約一四億の人口を抱え、全労働人口のうち約半数が農業に従事するインドは、膨大なデータが得られる魅力的な市場だ。フェイスブック以外の外国企業もインドへのＩＴ投資を加速させている。

「農民にとっては、三六〇度、全方位からの支配です」

デジタル主権の確立をめざすインドのＮＧＯ「変革のためのＩＴ」のパルミンダ・ジート・シン氏は、新農業法の背後で進む動きをこう批判する。

「リライアンス社はまだインドの食品・小売分野を完全に支配しているわけではなく、アプリも初期段階です。ここにフェイスブックは投資しているわけです。さらに、アマゾンとウォルマートも同じように農業分野での流通・販売システムを構築しようと動いてきました」

ビッグ・テックの農業・食品ネットワークビジネス

このように、農業生産と流通、小売、そして決済・ローン（金融）という、従来は別々のセクターの別企業が行なっていた事業が、現在、驚くほどの速さで統合・再編成されている。それを可能としているのが、アプリや電子決済システム、ビッグデータの収集と管理を支えるＡＩ・アルゴリズムなどの技術だ。この動きは先進国・途上国を問わず広がっている。

「アジアでは、四億二〇〇〇万の小規模農家がこの地域の食料の約八〇パーセントを生産しています。過去数十年にわたって農業の大規模化や企業型農業に土地が集約される傾向が強まったにもかかわらず、今なお小規模な農家、漁民、畜産農家、食料販売業者がアジアの主要な食料生産を担っているのです。こうしたなか、世界最大のＩＴ企業や流通プラットフォームは、農業分野への参入を強めています。一方、農薬・化学品メーカーも農業のデジタル化をめざしています。これらが同時に起こり、合併や資本提携、技術協力を繰り返しながら農業や農民を取り巻くシステムが統合されていっているのです」（図6-1参照）

世界の小規模農家の権利と食料主権をめざして活動する国際ネットワーク「ＧＲＡＩＮ」のカルティーニ・サモン氏は指摘する。

図6-1　進むビッグ・テックの農業・食品分野への参入と統合

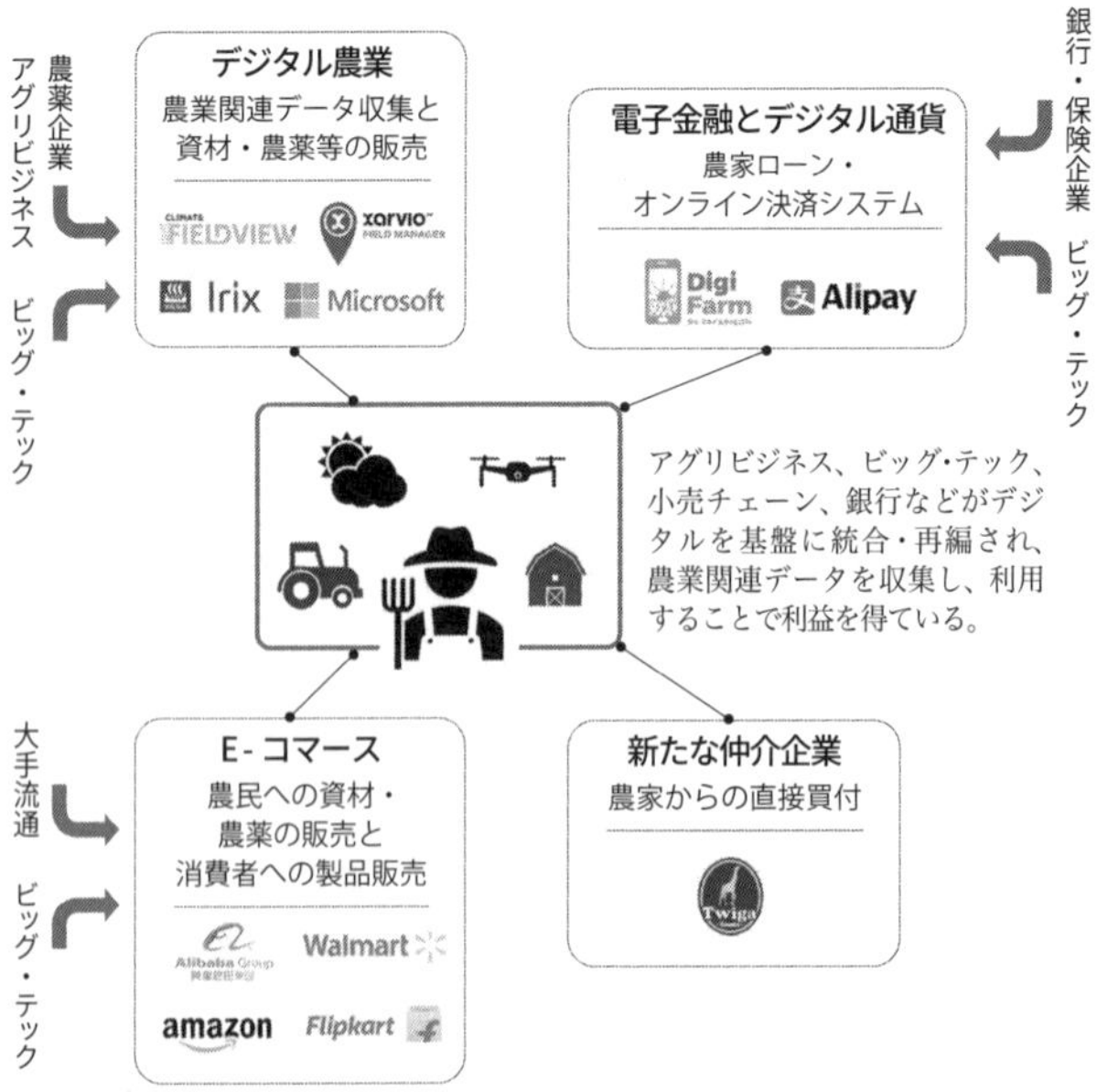

出典：各種資料より著者作成

その鍵となるのは、やはりデータである。ビッグ・テックや通信事業者、小売チェーン、食品会社、アグリビジネス、銀行など大企業は、フード・システムのあらゆる場所からデータを収集し、そこから利益を得る方法を見つけようと競い合っている。しかも少数の大企業に権力は統合され、ビッグ・テックがフード・システムをより掌握してしまう危険があるとサモン氏は懸念する。

たとえば、マイクロソフトは、同社のクラウド「アジュール」を通じて、「アジュール・

ファームビーツ」[*1]と呼ばれるデジタル農業プラットフォームを構築している。このプラットフォームは、土壌や水の状態、作物の生育状況、病害虫の状況、天候に関するデータや分析を農家にリアルタイムで提供する。しかしその基礎となるデータをマイクロソフト自身は持っていない。そこで同社は、農場用ドローンやセンサーの開発企業と提携し、これら企業が集めた膨大なデータを手にしているというわけだ。

一方、従来のアグリビジネス企業、特に種子、農薬、肥料を販売する企業は、ビッグ・テックが農業分野に参入する前から、デジタル農業に着目してきた。たとえばバイエルは、モンサントとクライメート・ドット・コムの協力によって「クライメート・フィールド・ビュー」というデジタル農業プラットフォームを立ち上げた。農家は、自分の農場での作物の生育状態、害虫の発生状況などのデータを、スマートフォンのアプリを通じて、日々バイエルに提供する。するとその引き換えに、バイエルは農家に必要なアドバイスを与えるという仕組みだ。同時に、アプリからはバイエルの農薬や化学肥料などの製品広告や割引サービスの情報が送られてくる。このアプリは、すでに米国、カナダ、ブラジル、欧州、アルゼンチンの計二四〇〇万ヘクタール以上の農場で使用されているという。またドイツの化学メーカーであるBASFが開発したザルビオというアプリも、圃場《ほじょう》の雑草、病害の状態を識別し、それらが問題になる時期を予測し、農薬散布や施肥の時期を農家にアドバイスする。追加料金を支払えば、作物の保護計画やその結果を文書化するサービスも提供される。

しかし、これらアグリビジネス企業の弱点は、自社アプリの運用に必要なデジタル・インフラが十分にないため、アマゾン・ウェブ・サービスのようなクラウド・サービスに依存せざるをえないことだ。そのためアマゾンは、アグリビジネス企業に対して大きな優位性を持つことになる。こうして、農家に製品（農薬、トラクター、ドローンなど）を供給する企業と、データの流れを支配する企業の間での競争と統合が進んでいるのである。

特に、二〇二〇年からの新型コロナウイルスのパンデミック下において、この動きは加速化した。ロックダウンが強要されるなか、人々は自宅に閉じ込められ、食料や日用品を購入するためにオンラインを使う頻度が飛躍的に増加した。このことは、消費者にとってだけでなく、農家や小売業など生産・流通の現場にもビッグ・テックがこれまで以上に参入できるようになったことを意味する。

大規模農家に有利なデジタル農業

データを基盤とするデジタル農業は、世界の小規模零細農家の現実やニーズとはかけ離れている。無人走行のトラクターや農薬散布用ドローンなどは、小規模零細農家のために開発されているわけではない。デジタル農業によって、大規模農家と小規模零細農家との格差はさらに広がるとサモン氏は言う。

「土壌検査や圃場調査、収量測定などを定期的に行なったり、デバイスを搭載したトラクター、ドローン、フィールドセンサーなどの新技術を導入する経済力がある農家は、高品質でリアルタイムのデータを大量に収集できます。あるいは、年間を通して単一作物を栽培している圃場は、データもシンプルで収集が比較的簡単です。ところが、小規模零細農家は、政府や自治体による改良普及サービスもほとんどない地域にあり、圃場のデータ収集も行なわれていないばかりか、そのための技術を導入する余裕もありません。このような状態で小農民がデジタル農業のアプリを使用したとしても、企業の求める『質の高いデータ』を大量に集められず、その見返りとして得られる企業からのアドバイスも必然的に質の低いものとなってしまいます。小規模農家が単純なデジタルネットワーク（携帯電話のテキストメッセージなど）を介して得られるアドバイスは、『革新的』なものとはほど遠いものです」

農家から収集したデータを処理・分析する際、そのデータが大量かつ一定の質を保っていれば、AI・アルゴリズムによる予測の精度も上がり、農家へのアドバイスの質も高くなる。デジタル農業を推進する途上国も増えているが、一般消費者向けの5Gやネット接続などのインフラには公的資金を投入する一方、農業普及サービスに新たな資金は投入されないことが多い。

こうした状況のまま小規模零細農民がデジタル農業を中心とするシステムに動員されてしまえば、小農民は資材・機械の購入者や金融ローンの借り手として従属させられるだけの存在になりかねない。前出のシン氏は言う。

「インドの小規模農家は、政府の最低支持価格が保障されていても、生きるために必要な収入を得られていません。過去数十年で、困窮した何千人もの農民が自殺しています。理由はさまざまですが、共通するのは『借金』です。農民の約九割が、肥料や種子、農薬、その他設備にかかる資金を金貸しに頼ります。貸金業者は、自分たちと関係のある企業の農薬や種子を買うことを融資の条件にするのです。これが今後、アプリ上で、巨大企業相手に行なわれるとなれば、どうなるでしょうか。インドの農業政策がうまくいっていると思っている人など誰もいません。しかし、だからといってビッグ・テックに農業・食品分野全体を開放してしまえば、さらなる搾取が起こり、生産の画一化が促進されるのではないでしょうか」

私たちは日常的に、グーグル検索やフェイスブックなど便利で無料のサービスを使う。その過程で私たち自身についてのさまざまなデータをビッグ・テックに提供している。データは私たちの行動を予測し、絶妙なタイミングでターゲティング広告を打ってくる。まさにこれと同じ構図が農業分野でも起こっているのだ。

デジタル農業は、日本や米国など先進国では「スマート農業」（ロボット、ＡＩなど先端技術を活用する農業）として農業現場への普及がめざされている。有機農家であり農業ジャーナリストでもある松平尚也氏は「農業の多様な課題とスマート農業の方向性が合致していない」と指摘する。

「農業は自然環境を生かし、多様な形で行なわれています。その一方でデジタル農業などの技術は、イノベーションばかりに焦点が当てられ、農家のニーズやコストは考慮していません。日本列島の気候は地域ごとに異なりますが、農家のニーズに合った農業技術のデジタル化は進んでいないと感じます。その一方で、国はスマート農業の予算を増額し、新規就農者への機械購入補助金を増額しています。こうした政策が展開すると農家の機械投資が増大し、日本でも負債を抱える農家が増える可能性があります」

ギグワークの拡大と地域の小規模商店の破壊

ビッグ・テックによる農業・食品ネットワークビジネスが引き起こす問題は、農業分野だけにとどまらない。

一つは、労働の問題だ。デジタル化を推進する側は、仲介人への依存をなくすことが農家の利益になると主張することが多い。インド新農業法でもこの点が強調され、農家の自由が喧伝された。確かに、新型コロナウイルスの感染拡大時、食品流通が麻痺すると、農家はSNSなどのデジタル・プラットフォームを独自に活用し、農産物を消費者に直接販売するという創造的な方法を見出した。農家の交渉力を強化するために、協同組合などがデジタル技術を利用する可能性も十分にありうる。しかし、そのような肯定的なケースであっても、農家が生産した農産物を集め、流通させ、販売するという「中間」の仕事に従事する労働者は不可欠だ。世界の多くの地域で、その仕事は小規模販売業者や売り子が担い、食品は地域の小さな商店や露店で売られている。

デジタル・プラットフォームにおける労働の問題は、ウーバーやアマゾン・メカニカルターク[*2]などのギグワーカー（雇用によらない、細切れで不安定な仕事）問題として顕在化している（第7章参照）。農業分野でも「中間」を担う労働者（特に農業・食品業界では圧倒的に女性である）をより不安定で無権利な状態に置くリスクがある。

インド・デリーのシンクタンク「社会科学研究所」のアルン・クマール教授は、新農業法に反対する研究者の一人として、ビッグ・テックのビジネス・ネットワークへの懸念を語った。

「農業分野に従事する労働者が、巨大企業の気まぐれに全面的に従属するギグワーカーになりかねません。仕事とは人間に尊厳を与えるものです。もし人々が尊厳を持てなければ、社会的・政治的問題が噴出するでしょう」[*3]

もう一つの問題は、地域の小規模商店への打撃である。多くの途上国・新興国では、食品の小売・流通は今も小規模業者に委ねられ、政府が卸売システムを規制している国もある。これらはアマゾンやウォルマート、アリババなどの巨大流通・小売企業にとっては「未開拓の市場」だ。

たとえばウォルマートは、二〇一六年、インドのオンライン小売のスタートアップ企業「ジェット・ドット・コム」を三三億ドルで買収し、インドへの進出を果たした。さらに二〇一八年にはインド最大のオンライン小売プラットフォーム「フリップカート」を一六〇億ドルで買収。インド市場での存在感を高めつつある。アマゾンもインドに進出しており、両社だけでインドのデジタル小売分野のほぼ三分の二のシェアを占めている。これら企業の拡大は、何百万人もの露店商、小売業者、「キラナショップ」（インドの日用品・食料品店街）、家族経営店に脅威を与えてきた。

アマゾンのビジネスモデルは、顧客を自社プラットフォームに誘い込むために、競合他社への略奪的な価格設定をはじめ、不公正なビジネス手法を駆使するものだ。またアマゾンは加盟店の販売データを独占的に見ることができるため、人気商品の模倣品をつくり、低価格で販売してきた。こうした「力の乱用」によって、インドに限らず世界中で何千もの中小企業や小売店が廃業に追い込まれている。

デジタル技術が促進する土地の金融化

さらに、アジアやラテンアメリカの小農民たちが懸念するのは、デジタル技術によって土地の私有化・金融化がこれまで以上に進むのではないかという問題だ。彼らはこれを「デジタルによる土地収奪」と呼ぶ。途上国はじめ世界には、政府の国有地・公有地、民間の私有地の他に、古くから地域コミュニティや先住民族たちが共同管理してきた「共有地（コモンズ）」がある。小農民や先住民族にとって食料生産のために必要不可欠な土地として活用されてきた。こうした土地を含め、多くの国でデジタル技術を使った土地の使用状況の把握や所有権の整理・統合が、この一〇年で進んでいる。

たとえば二〇一八年、世界銀行はインドネシアに対し、土地や天然資源の利用状況をデジタル技術によって把握し、プランテーションや林業、鉱山、住宅などの利用をより効率的に行なうための地理空間参照システム「ワンマップ政策」プロジェクトに約二億ドルの融資を行なった。ドローンやGPSなどを用いて国土全体の状況をデータベース化し、適正な土地利用を促すことが目的とされた。インドネシアでは土地をめぐる住民同士や住民と自治体・企業間での係争も多く、これらの解決がめざされ、しかも測定は「住民参加型」で行なうことが強調された。しかし実際には、先住民族の共有地は正式に登録されず、データを集約するポータルサイトは政府当局しかアクセスできないなど不透明な運用がなされた。地元の先住民族コミュニティの人々は、最終的に自分たちの共有地が「空き地」として分類され、国家による接収や投資家・企業による買収の対象となりかねないとして、政府に対して改善を求めている。同様のケースは、ブラジル、コロンビア、アルゼンチン、パラグアイ、ボリビアでも起こっている。先住民族の共有地を含む国土全体を対象に、デジタル技術による土地の把握と管理が進むなかで、データや分析結果にアクセスできる人々が優先され、土地取得の権利が不均衡に私企業に与えられている事例がいくつも報告されている。*4

「現在行なわれているのは、単なる地表のデジタル化ではなく、風景、領土、農業生物多様性、そしてそこに住む人々の歴史を、『技術的な精度で』画像を介して再構成するという取り組みです。人口統計上の『空白』あるいは『私有地』として特定されるのは、『消去された人々の領土』であり、それはまさにアグリビジネスと投資家にとっての『フロンティア』なのです」（GRAINの報告書）。

農と食に関するナラティブ（物語）を変える

多くの国で、デジタル農業を中心としたフード・システムのデジタル化が推奨されている。たとえば、フランスのマクロン大統領は、AIを使用する穀物の収穫ロス監視システム「ファームウェーブ」を「驚異的なテクノロジー」として宣伝している。インドの政府プログラム「デジタル・インディア」は、グーグル出資のアプリ「コットンエース」を政策文書で正式に採用した。日本では「スマート農業」として農林水産省が推進している。G7やG20もデジタル農業の推進を呼びかけている。二〇二三年、日本が議長国となったG7サミットの関連閣僚会合である農業大臣会合では、「G7農業大臣声明」のなかで「農業のさらなるデジタル化」が提起された。[*5] こうした潮流は、国際的には「農業4・0」というスローガンのもと推進されている。デジタル技術とモノのインターネット（IoT）を活用し、「農家、消費者のニーズにさらに正確に応える新しい時代の食料生産であり、将来の食料安全保障問題を解決する」と謳われる。国連食糧農業機関（ＦＡＯ）は二〇二〇年、「農業４・０――持続可能な作物生産のための農業ロボットおよび自動化装置」[*6]と題する報告書を公表し、新たな技術開発が途上国の農業にもたらす可能性を提示した。

世界の開発の推進母体である世界銀行も、「デジタル農業は、効率的で環境的に持続可能かつ公平な農業・食料システムを構築し、持続可能な開発目標（ＳＤＧｓ）達成に貢献する」[*7]とのお墨つきを与えている。推進者は、デジタル化の波に誰も抵抗できないよう、次のように語りかけてくる。

「新しい技術は、すべての人に恩恵をもたらします。農家が携帯電話のアプリで土壌の肥沃度や作物の健康状態について学ぶことに、誰が反対できるでしょうか？　農産物の販売先である市場や消費者と、より直接的な関係を提供するデジタル・サービスに反対ですか？」

いずれの主張も、大きくは世界の飢餓人口を削減するために、農産物を効率的かつ大量に生産する必要があるというものだ。すべての人が生きるために十分な食料を得られることに反対する人はいないだろう。農家ももちろんそれを願い、技術を必要としている。

しかし、小規模農家たちが提起しているのは、新たに登場する技術によって得られたデータは誰のもので、誰が管理すべきものなのか、それは地域の発展につながるものなのか、技術は誰の、何のためにあるのか、という問いなのだ。

二〇二三年一一月、世界の小農民・先住民族の運動体が協力して「アグリ・テック」に対する自治――業界の物語に対抗するためのツール」*8と題した文書をリリースした。世界の小農民の運動体である「ビア・カンペシーナ」、アジアを拠点に農業と技術の課題を調査研究する「ETCグループ」、アフリカ全域で活動する「食料主権のためのアフリカ連合」、そして食料主権を求める国際NGO「グローイング・カルチャー」が同年夏に行なったオンライン会議の成果物として発表された。まさに世界の小農民自身が作成した戦略ペーパーだ。ここでは、企業や政府がデジタル農業を推進する際に語られる「物語（ナラティブ）」を批判し、農民の立場と視点から農業と技術のあるべき姿を提案している。

「いま農民は自らの権利と生活への脅威の増大に直面しています。農民は、自分たちの畑から遠く離れたどこかで、意見を聞かれることもなく作成されたデジタル・ツールを採用するかどうかの決定を迫られることがよくあるのです。こうした力に抗うのは本当に厄介な問題です。なぜなら、アグリ・テック企業は長い間、農業の生産性の向上や食料不足の解決には最新の技術が必要だという認識のフレームをつくり、どの時代も結果的に利益を上げてきたからです。このフレームをコントロールする者は計り知れない力を持っています。農業に限らず、植民地主義や資本主義、帝国主義、白人至上主義、家父長制などの抑圧制度を支える枠組みは、不当な権力構造を維持することで利益を得る人々によってどの時代も強化されてきました」

文書をまとめたETCグループのネス・ダーニョ氏は言う。

「飢餓は単に技術や収量の問題で起こっているわけではありません。食料は足りているのに、その配分が公正になされていない。そこには政治や権力の問題があります。そのことに蓋をして、技術解決主義を彼らは農民に求めます。たとえば、アグリビジネス業界は、製品の効率性、生産性、またはどの実践方法が最も効果的かという範囲のなかだけで語ります。これに対し、私たちは主権、所有権、管理といった全体像の問題に焦点を当て戦略的に議論を立てる必要があります。コミュニティに食料を供給するには、目に見えない膨大な量の知識と努力が必要ですが、農民が求めているのは、それらを含む自己決定権です。すべての人に利益をもたらすには、政治・経済のシステムを公正なものへと再構築する必要があります」

ビッグ・テックへの依存の連鎖を断ち切るために、世界のあちこちで小さいながらも注目すべき取り組みが始まっている。たとえば、小農民の世界的なコミュニティである「ファーム・ハック」は、農機具の製造や改良についての情報をオンライン上で無料公開する。新しいＩＴ企業のなかには、クラウドソースによる非独占的な情報交換や研究へのシフトを推進し、地域内はもちろん、世界中の小規模農家や加工業者と農業技術の情報を共有する企業もある。

二〇二〇年に新型コロナウイルスの感染拡大によって流通が麻痺すると、農家自身がＳＮＳやＥコマースなどのデジタル・ツールを使い、農産物を消費者に届ける助け合いの市場が多くの国で生まれた。インドのカルナタカ州では、農民がツイッターを利用して農産物の収穫情報を投稿し、買い手と直接売買した。ブラジルでは食品流通は大規模スーパーに集中し、小規模農家は参入ができない。コロナ禍のなか、「小規模農民の運動（ＭＰＡ）」がタクシー運転手の協同組合や消費者グループとともに、インターネットを使った流通システムを組織した。「インフォ・バスケット」と呼ばれるこの仕組みは、生鮮食品を中心に週平均三〇〇の食品バスケット（特に生鮮食品）を、リオデジャネイロとその周辺地域の約三〇〇〇人の消費者に現在も届けている。集荷や配送などの「中間」の仕事を担うのは、約四〇の「農民生産ユニット」だ。インドネシアのジョグジャカルタでも、生鮮市場の仲買人の協同組合が地域の商業機関や大学、活動家らと協力して、「パサールＩＤ」というオンライン・プラットフォームを立ち上げた。これは市場で働く人たち自身が顧客からの注文の受付、配送までを大手ＩＴ企業に頼らず管理・運営する仕組みだ。

前出の松平氏は言う。

「デジタル農業と一口に言っても、その技術は、大規模資本の影響が大きい現状があります。米国も日本も農業者の約九割は家族農業であり、多様な形で農業が続けられています。必要なのは、デジタル農業社会における農家の主権ではないでしょうか。ここでの主権とは、農家がそれぞれの農業の現場で技術を選ぶという、『技術主権』の考え方でもあります。こうした視点は、アグロ・エコロジーとして国連でも注目されています」

アグロ・エコロジーとは、肥料・農薬等に依存せず生態系の持つ調整機能などの力を活かす農業だが、これに加えて、フード・システム全体を公正にする（特に社会的・経済的な面を重視し、食料主権や女性・若者・先住民の権利を守る）こと、民主的でボトムアップの生産・流通体制を構築することも含む概念・実践だ。

技術主権を含めた、地域のイニシアティブによるビッグ・テックへの対抗は簡単ではない。だが、それでも私たちのめざすべき方向性の答えは出ている、とサモン氏は言う。

「データ主導のデジタル経済は大きな不均衡と格差を特徴としています。途上国の農民は、世界のデジタル・プラットフォームに生データを提供し、そこから得られる知見や知識に料金を支払わなければなりません。一方、巨大ＩＴ企業には莫大な富が集中しています。ビッグ・テックによるシステムは、すでに多くの問題がある世界の食料システムのなかで、輪をかけて複合的な危機のなかに私たちを深く追い込みます。それとは真逆のビジョン――農民、漁民、小規模商店、露店商、農業労働者など食料の生産と流通に関わる人たちによる民主的で多様な参加と、知識・情報の共有化こそ鍵なのです」

冒頭で紹介した、インド新農業法の顚末が、その可能性を示唆しているのかもしれない。農民たちの大規模な反対運動はその後も続き、二〇二一年一月、最高裁判所は「農民の理解を十分に得られていない」として、新農業法を一時的に停止する措置を講じた。モディ政権の基盤そのものが追いつめられる事態となり、ついに二〇二一年一一月一九日、モディ首相は「新農業法を撤廃する」と宣言した。

第7章

「ゴースト・ワーク」を可視化する

――グローバル・サウスとデジタル植民地主義

(cc) Soumil Kumar

アレッサとの連絡が途絶えたのは、二〇二二年三月だった。

「こんな環境では身が持たない。たぶん、じきに仕事は辞めると思うけど、次の〝あて〟があるわけじゃないから、来週も、来月も、続けているかもしれない」

彼女からの最後のメールには、こう書かれていた。

フィリピン南部、北ミンダナオ地方の港湾都市、カガヤン・デ・オロ。日本語に訳すと「黄金の友情の街」だ。アレッサは二七歳の女性で、仕事は「コンテンツ・モデレーター」。フィリピン企業のスマート・エコシステム・フィリピン（ＳＥＰＩ）社に雇われているが、実際に従事するのは米国のレモタスク社からの請負仕事だ。

毎日朝九時頃から自宅でパソコンに向かい、ＳＥＰＩ社から指示される仕事を黙々とこなす。インターネット回線が不安定な時には、近くのネットカフェに駆け込む。膨大な量の画像の一枚一枚に、たとえば歩行者とヤシの木を区別しラベルを付けたり、文章の文法や表現の誤りを修正する仕事もある。どんな作業も秒単位で反応する。作業途中も、より単価の高いタスク依頼が届いていないかダッシュボードを頻繁にチェックする。割のいい仕事は奪い合いで、すぐになくなってしまうからだ。昼過ぎには子どもたちが帰宅するため、作業は一時停止だ。夕食を終え一通りの家事を終えた夜八時過ぎ、彼女は再びパソコンに向かう。

デジタル経済を支える「見えない労働」

デジタル通信技術の発達により、世界中どこからでも仕事のやりとりをすることが容易になった。コロナ禍でリモートワークを推進する企業も増え、オンライン・ショッピングも加速的に普及している。ＡＩの開発がこれに拍車をかけている。

この現象の最前線にあるのが、「オンライン・アウトソーシング」や「クラウド・ソーシング」「ギグ・プラットフォーム」などと呼ばれる、オンライン労働プラットフォームだ。最もわかりやすい例はウーバーだろう。ウーバーが構築したアプリを通じて、乗車を依頼する顧客と運転を提供する人がマッチングされ、サービスと報酬がやりとりされる。ウーバーはその手数料で収入を得る。日本ではライドシェアが道路運送法で禁止されてきたため、フード・デリバリーのウーバーイーツが先行して広がるが、基本的に同じ仕組みだ。

しかし実際には、世界ではそれ以上のことが起こっている。

運転や食事の配達など目に見える仕事以外にも、膨大な数のオンライン労働プラットフォームが稼働し、毎分、毎秒、夥《おびただ》しい量の「タスク（仕事）」が発注者（企業あるいは個人）から依頼される。働き手は世界中どこからでも気軽にプラットフォームに登録ができ、自宅やネットカフェからタスクを請け負うことができる。

図 7-1　デジタル労働プラットフォームの種類と主要な事業者

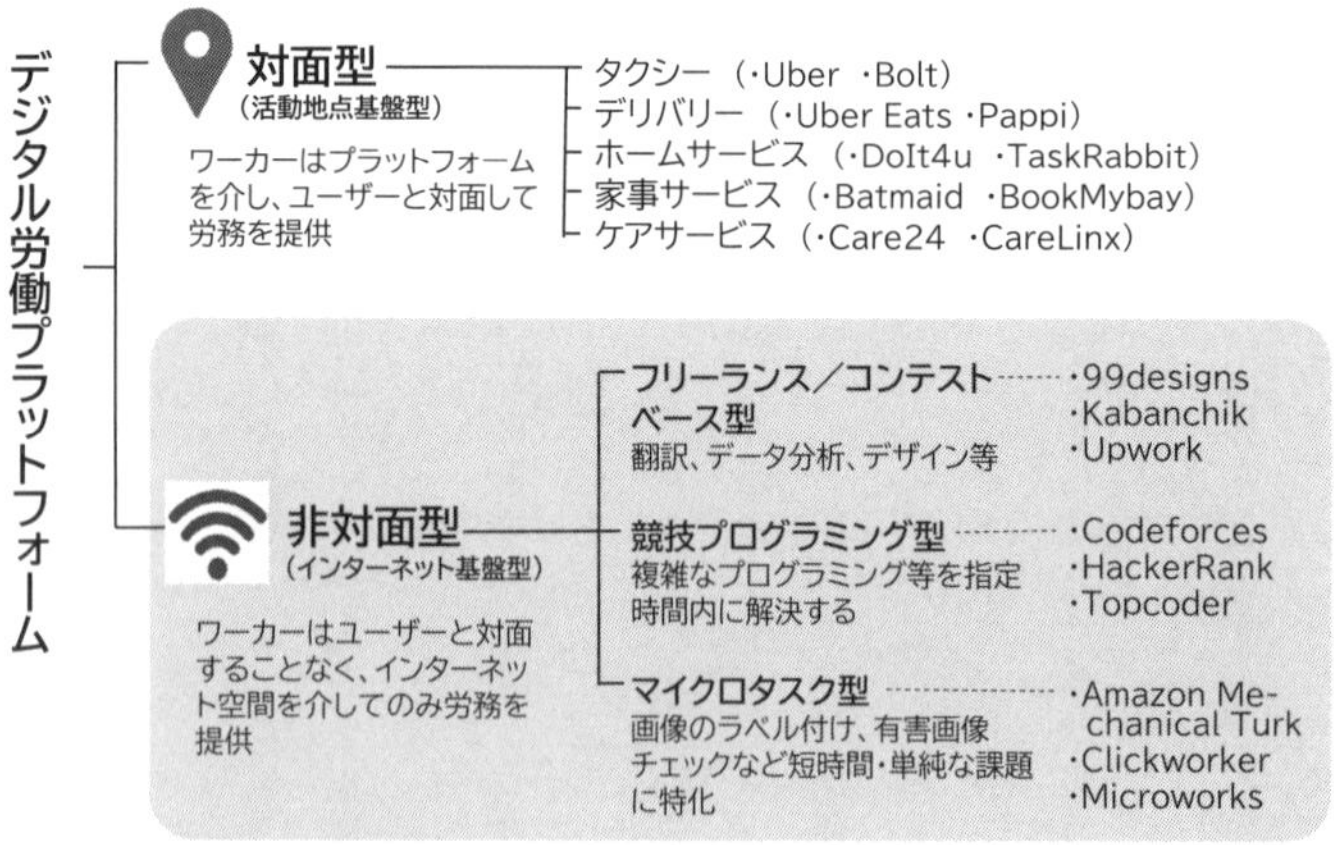

出典：各種資料より著者作成

国際労働機関（ＩＬＯ）によれば、オンライン労働プラットフォームには、ウーバーのようにオンラインで仲介されるが実際には「運転」というサービスを対面で提供する「対面型（活動地点基盤型）」と、仕事の仲介から実施まですべてがオンライン上で行なわれる「非対面型（インターネット基盤型）」の二つがある[*1]（図7－1）。二〇一〇年には一四二だったプラットフォーム事業者は、二〇二一年には五倍以上の七七七に増加した（実際にはそれ以上あるとされる）。これらプラットフォームは圧倒的に米国企業が多く、対面型のウーバーの他、非対面型のプロリフィックやジョヴォト、クリックワーカー、アマゾン・メカニカルターク、フリーランサーなどだ。日本企業では、ランサーズやクラウドワークスなどが挙げられる。

近年、労働分野の研究者やエコノミストは、オンライン労働プラットフォームにおける労働者数や労働環境などを把握することに精力を注いでいる。というのも、この種の労働の実態がきわめて見えにくいからだ。多くのプラットフォームは登録者数などのデータを公開していないことに加え、労働者の分布は数十カ国にわたるが、個々のタスクはあまりに細かく、労働時間や働く時間帯、得られる収入も多様で統計では捕捉できない。『家計の足し』程度の副収入を得ているだけ」「より良いスキルを獲得するための訓練にすぎない」という意識の人は、得た収入を税申告しないケースも多い。仕事の発注形態も、自社のプラットフォームで発注者とワーカーをマッチングさせるだけのものから、プラットフォーム企業が人材派遣企業と契約して仕事を委託する形式、さらには企業の担当者が自身の判断でオンライン・プラットフォームに仕事を投げるケースもあるなど、複雑になっている。この不透明さにこそ、オンライン労働プラットフォームがはらむ本質的な問題がある。

ここ数年での成果としては、オックスフォード・インターネット研究所のオットー・カッシー教授らの研究がある。二〇二一年、教授らは「世界には何人のオンライン・ワーカーがいるのか？——データ駆動型の分析調査」[*2]と題した論文のなかで、世界にある三五一件のプラットフォームを対象に調査。そのうち一六二件で把握できた労働者数は、一億六三〇〇万人にも上った。もちろんこのうち圧倒的多数は、登録しただけで終わる人や、一回だけで辞めてしまう人が占めている。それでも一億六〇〇〇万人もの人が何らかの形でオンライン・プラットフォーム労働に関わっているという分析は、メディアや研究者に大きな衝撃を与えた。この一〇年間で「見えない労働市場」はあまりにも大きく深く、広がっていたのだ。

AIが必要とし、生み出す人間の労働

オンライン・プラットフォーム労働のなかでも、非対面型の仕事——とりわけ単純で細かい作業を繰り返しこなしていく「マイクロタスク型」の仕事は、特別な専門性がなくてもできるからこそ、誰がどのように行なっているのかがつかみにくい。

マイクロタスクには、たとえばインターネット上のニュースフィードや検索結果を選り分けることや、適切なコンテンツかどうかを見分けること、地図上で示された住所の確認、簡単なアンケートへの回答、写真の収集などがある。ある大手旅行サイトでは、自社のウェブサイト上で重複しているホテルの記載削除や、リンクや誤字の確認・修正の他、人気の高い旅行先の説明文を書くこと、旅行先のお勧めリストの作成など、何十万ものタスクをプラットフォームを通じて世界中のワーカーに発注している。

AIを訓練するための正確なデータセットをつくるのもマイクロタスクの一つだ。無数の画像に含まれる人物、車、道路標識、車線区分線、空などにラベルを付けていく。ある言語(多くの場合は英語)の一文の録音を聴き、それを自らの母語(たとえばスワヒリ語)に翻訳してエ

クセルのファイルに入力していく。また、センチメント（感情）分析と言われるタスクもある。ある単語や画像を見た時の感覚や感情を言語化してラベルづけをしていくのだ。こうした人間の解釈が、ＡＩの学習データになるというわけだ。

そして、ワーカーにとって最も精神的な負担となるのが、インターネット上に掲載された何十億もの映像や画像のなかに、暴力シーンやポルノ、児童虐待や女性・マイノリティへの差別表現がないかをチェックし、それを削除したり警告していく仕事だ。

二〇二一年春、オンライン・プラットフォームの労働環境について話を聞くため、私はフィリピンやインドなどのNGO仲間に、現地のワーカーを紹介してほしいと相談をした。その結果、数人のワーカーと出会うことができたが、冒頭で紹介したアレッサもその一人だ。彼女はまさに、マイクロタスクをこなす「コンテンツ・モデレーター」だった。一時期、暴力やポルノをチェックする仕事をしたこともあるが、「一言でいって地獄」と語った。

「最初の一時間で気分が悪くなり、その日は何もできなかった。でも慣れというのは怖いもので、翌日は二時間、その翌日は四時間、というふうにできるようになった。だけど明らかに気分が不安定になったし、最悪なのは夜寝る時。目を閉じると昼間見たひどい映像がよみがえってくる。一週間でこの仕事はやらないと決めた」

インターネット上のプラットフォームやアプリは、基本的にユーザーが暴力やポルノ、差別シーンを目にしないように設計されている。ユーチューブにもＸにもフェイスブックにも倫理基準があり、「問題あるコンテンツは削除」されることになっている。実際、これら企業はソフトウェアを使い、問題コンテンツを自動的に削除するようにしていて、ＡＩの導入によってこの作業は飛躍的に効率化された。しかし、ＡＩのフィルタリング・システムは完璧ではない。「親指の写真と男性器の写真をＡＩはうまく区別できない」という有名な例がそれを象徴している。現時点ではＡＩだけにネット空間の「適正化」を任せることは無理であるため、各プラットフォーム企業はＡＩでは対応できない「判断」をする「人」を必要としているのだ。私たちが当たり前のように享受しているインターネット世界の倫理性を最終的に支えているのは、アレッサのようなコンテンツ・モデレーターの手作業だ。この事実を、果たしてどのくらいのネットユーザーが知っているだろうか？

米国の文化人類学者メアリー・Ｌ・グレイ氏とコンピュータ社会学者シッダールタ・スリ氏は、こうした非対面型のオンライン・プラットフォーム労働を「ゴースト・ワーク」と呼ぶ。[*3]

「ロボットが台頭してきていることは否定のしようもないが、自動化された仕事の大半は、一日二四時間、相変わらず人間を必要としている。……タスクベースのサービスは、人間の判断力と直観の果てしない反復利用を頼みとしており、従来の週四〇時間勤務制にはうまく収まらない。そうしたタスクは変化に富み、単に機械的ではなく、だからこそ、そこから人間を取り除くのは難しい。……人間の労働を取り除きたいという願望が必ず、人間の新しいタスクを生み出すのだ」（『ゴースト・ワーク』より）

グレイ氏とスリ氏は、機械化をめざすプロセスが必要とする人間の労働を「自動化のラストマイルのパラドックス」と名づけ、歴史の上にそれを重ねる。たとえば産業革命が進み、繊維製品の生産が機械によって自動化されると、フルタイム従業員は減らされ、代わりに「出来高制」「家内労働」と言われる細切れの不安定労働が生み出された。ボタンやベルトを縫いつけたり、シャツに装飾を施すという細かい手仕事の大半は、女性や子どもが担っていた。この時代も、自動化のラストマイルは常に人間の手を必要としていたというわけだ。

さらに産業資本主義の時代が進むと、企業は従業員を資産ではなく負債（コスト）とみなすようになり、労働市場の不安定化と断片化がますます増大してきた。ＩＴ技術の興隆とともに企業が多くの仕事を自動化するため、フルタイムの従業員を減らそうとすればするほど、世界中にゴースト・ワークへの需要が急増している。「人間の仕事をＡＩが奪う」という言説が強調されるその裏側で、実はＡＩ導入は新たな人間の労働を大量に生み出している。問題は、その「仕事」が細切れで低賃金で、「労働者」として認識されることもなく、社会から見えない空間へと押し込められていることだ。

法規制のない非対称な労働市場——取引のコストはすべて働く側が持つ

実際、オンライン労働プラットフォームでの仕事は、すでにさまざまな問題を引き起こしている。

たとえば、対面型・非対面型の双方で、報酬の未払いやアカウントが突然停止されたというケースが頻繁に起こっている。

インドのバンガロールでアマゾン・メカニカルタークの仕事をする三〇歳のアジットにもその経験がある。

「アマゾンは仕事の最低報酬額を設定しておらず、時給にして二ドル未満の場合もあります。しかも取引ごとに一〇パーセントの手数料を取る。プラットフォーム側は、法的責任をともなわずに報酬の支払いを完全に拒否することもできます。ワーカーは、承認または拒否されたタスクの数によって評価されるのですが、最も生産性の高い人は『マスター』になるよう招待され、より高収入のタスクを独占的に得られるようになります。逆に、プラットフォーム側は理由を提示することなく、いつでもワーカーのアカウントを無効にできます。高評価を得るため、どんなタスクでも全身全霊で取り組んでいますが、それでも理由もわからずアカウント停止をくらうとどうにもならないんです」

タスクの管理はアルゴリズムによって行なわれている。時間内にこなせたか、誤りがないかなどを評価するのも、報酬の未払いもアカウント停止もアルゴリズムの判断だ。問題は、こうした場合、ワーカーの側には解決方法がほぼないということだ。

「トラブルがあった時、サポートセンターに問い合わせても返答がなく、プラットフォーム上に異議申し立てや仲裁のシステムもありません。泣き寝入りして次の仕事へ移るか、辞めてしまうかのどちらかです。そもそも報酬についての交渉の余地すらないんですから」（アジット）

プラットフォームはあらゆる面で強い権限を持ち、トラブルの解決策と責任のすべてをワーカーに負わせるように設計されている。それを正当化できるのは、「オンライン・プラットフォーム労働者は、誰にも『雇用』されておらず、独立した『個人事業主』『フリーランス』である」という論理だ。従来の雇用形態では企業の責任として労働者に提供される教育や研修、仕事に必要なツール（ネット環境やアプリ、それを使いこなす技術習得）も、オンライン・プラットフォーム労働においてはワーカーが自ら調達しなければならない。タスクを探すための膨大な時間も、支払いがされない場合の問い合わせ、アカウント停止された際の原因解明や復旧にかかる時間も、ワーカーの側にのしかかる。一方、プラットフォーム企業も発注する依頼者も、求人や採用、研修、労務管理などの費用を節約でき、何より雇用主という法的な責任から解放される。こうしてどんな仕事にも必ず発生する一連の「取引コスト」は、企業からワーカーの側に移行され、企業は利益を最大化できるようになった。

ワーカーたちはこうした仕組みに不満や違和感を持ちながらも、「好きな時間に好きな仕事を選んでできる」という謳い文句によって、不安定な労働を受け入れるように動機づけられることが多い。アジットが語った通り、ワーカーたちは不透明で不平等なシステムのなかで、より良い評価を得て優位に立とうと細心の注意を払って仕事を行なう。圧倒的な資金力や技術を持つプラットフォーム事業者と、世界に点在する個人ワーカーの力の差は明らかだ。

業界の是正を求める取り組み――連帯しはじめるゴースト・ワーカーたち

「アマゾン・メカニカルタークでは、毎日何千人ものワーカーが仕事をしていますが、そのすべてが労働者として保護されていません。私たちが調査を実施し、公開フォーラムを開催し、ワーカーたちと対面で話したりSNSで交流するなかで、彼らが最も懸念している問題はタスクの大量拒否と一方的なアカウント停止であることが判明しました」

こう述べるのは、二〇〇八年にアマゾン・メカニカルタークで働く人たちのネットワーク型ウェブサイト「ターコプティコン」[*4]を立ち上げたカリフォルニア大学サンディエゴ校のリリー・イラニ准教授だ。彼女はオンライン労働プラットフォームが登場して間もない二〇〇五年頃から、その代表格であるアマゾン・メカニカルタークのワーカーたちの労働環境の劣悪さに着目し、調査を行なった。巨大IT企業としての力を最大限に利用する同社は世界中でビジネス展開をするが、報酬の未払いやアカウント停止など振る舞いの悪さは幾度も指摘されてきた。

オンライン労働プラットフォームでは、報酬未払いの他にも、不正にワーカーのデータを収集しようとする悪質な発注者が紛れ込む問題もある。しかしそもそもどの発注者が正当であるかをワーカーが見分けたり評価したりできるシステムは組み込まれていない。そこでワーカーが互いに経験を共有し、発注者を評価する場——ワーカーたちの自助組織をつくったのだ。ターコプティコンではワーカーからの報告に基づき、改善を求めるオンライン署名活動なども行なっている。同ウェブサイトには、「私たちの使命は、アマゾン・メカニカルタークを使用するすべての人々の条件を改善するための相互扶助、リソース、提言活動を組織し、この仕事がすべての人にとって良い仕事になるように努めることです」と記載されている。[*5]

二〇一四年には、別の動きも起こった。アマゾン・メカニカルタークから仕事を得ている三五歳のカナダ人、クリスティ・ミランド氏は、アマゾンの最高経営責任者（当時）ジェフ・ベゾス氏が、自身宛のメールに時折返信することに注目した。彼女は「見えない存在」として働くワーカーたちの声を集め、ベゾス氏に「クリスマスレター」として公開書簡を送ろうと決意した。[*6]

「私は三〇代で、起業家でもあり、大学生、母親、妻でもあります。家計を支えるためオンライン・プラットフォーム労働の収入に頼っています。決して時給一ドル四五セントのために仕事をしているわけでも、また途上国で仕事をしているわけでもありません。私はスキルと知識のあるワーカーで、自分のキャリアとして仕事をしています。私は人間です。アルゴリズムではありません。ましてや、発注者が報酬を値切るための捨て駒として登録しているわけでもありません。発注者は私や仲間のワーカーに対して公正な報酬を提示しておらず、敬意を払っていません」（ミランド氏が公開書簡に寄せたメッセージ）

このキャンペーンでは、「ダイナモ」という名のウェブサイトが立ち上げられ、ここにワーカーが自身の体験を書き込んでいく形式がとられた。キャンペーンを支援したスタンフォード大学のマイケル・バーンスタイン教授は、これはオンラインでの集団行動を支援するシステムでもあり、「バーチャルな労働組合活動」の可能性があると論じている。

「インターネット時代の集団行動には、さまざまなアプローチが必要です。このキャンペーンの目標は、ワーカーと同じくらい多様です。プラットフォーム労働を称賛したい人もいれば、自分自身を売り込みたい人、『スキルのない労働者』というつくられたイメージを払拭したい人もいます。彼らはみな、変えたいことを持っていますが、本当に望んでいるのは承認です」[*7]

オンライン・プラットフォームで働く人たちは基本的にＩＤ番号で管理され、国や人種、性別などの属性から「自由」だ。しかし一方、労働者としての保護や権利はなく、仲間と過ごすオフィスもなく、職場で雑談したり愚痴をこぼす機会もない。ワーカーたちに必要なのは仲間との連帯であり、現代のオンライン・プラットフォーム労働のなかで極限まで削ぎ落とされた社会性や人間性を取り戻すことだ。ワーカーたちは自力でつながり合い、経験を共有しながら存在を主張し、協働のインフラをつくろうとしている。

労働者としての権利を求め相次ぐ訴訟

巨大なオンライン・プラットフォーム労働市場を公正なものにするためには、ワーカーの置かれた状況をさらに広く伝え、法的な地位を獲得する必要がある。ここ数年、世界では労働者としての権利を求める訴訟が続き、立法につながるケースも見られるようになった。

代表的なものは、対面型のウーバーなど運転・フードデリバリーサービスでの事例だ。先述の通り、これらワーカーは多くの国で労働法上、雇用ではなく「個人事業主」として区別されているため、社会保障はじめ各種制度の対象外となり、すべてが自己責任となる。しかし、アプリを通じた仕事にも既存の法のもとでの労働者性があるとして、ドライバーや配達員が組合を結成し、ウーバー等に労働者と同等の権利を求める訴訟を起こしているのだ。事実、対面型のプラットフォーム労働の場合、ワーカーは従来の雇用労働者が提供するのと変わらない労務を提供している（たとえばタクシー運転手が客を運ぶ、各家庭で家事サービスを提供する等）。そのため、時間や場所の拘束をともなう伝統的な雇用形態との同質性が認められる可能性が高い。米国やスペイン、イタリアなど欧州各国での訴訟では、ドライバーや配達員側の主張が認められる結果が出ている。

相次ぐ訴訟を受け、対面型のオンライン・プラットフォーム労働に関しては、各国政府や

ＩＬＯなど国連機関で法規制の必要性が議論され、欧米では一定の進展もある。

二〇二一年一二月、欧州委員会はプラットフォーム労働における労働条件の改善に関する指令案を採択した。[*8] プラットフォーム労働の従事者に、正しい雇用上の地位を認めることで権利の保障をめざすほか、アルゴリズム管理に関する公正性や透明性などの確保や、プラットフォームに対する各種の義務等が盛り込まれている（二〇二四年三月に合意）。

米国でもオンライン・プラットフォーム労働の問題はこの数年で議論が進んできた。二〇二四年一月九日、バイデン政権はウーバーなどのプラットフォーム企業から単発で仕事を請け負う「ギグワーカー」と呼ばれる労働者を、一定条件を満たせば従業員とみなす新たな規則を発表した。[*9] こうした動きは、明らかに労使関係にあるにもかかわらず、現行法上「個人事業主」として定義されてきた労働者に光を当て、正当な報酬や権利を与える動きとして評価される。

一方、インターネット上で完結する非対面型の労働（特にマイクロタスク型）は、プラットフォームとワーカーの間に労働者性が認められるのは難しいとされる。しかし、非対面型ワーカーたちが、プラットフォーム企業や請負企業などを相手に訴訟を起こすケースも現れてきた。

二〇一二年、クラウドフラワーで仕事を得ていた米国のクリストファー・オテイ氏とメアリー・グレス氏が訴訟を起こした。[*10] オテイ氏らは、クラウドフラワー社は公正労働基準法に則り、最低賃金を支払うべきだと主張した。この訴訟には同社で仕事を得ている約一万九〇〇〇人ものワーカーが原告として加わった。企業側は「ワーカーは随意の独立業務請負業者なので、公正労働基準法の適用外」と主張。結果的に、二〇一五年に同社が五八万五五〇七ドルを支払って和解したのだが、「プラットフォーム企業は発注者とワーカーを仲介している場にすぎない」との主張を根本から覆せず、プラットフォーム企業が雇用主として法的責任を負うところには至らなかった。

二〇一八年には米国で、フェイスブックの元コンテンツ・モデレーターであったセレナ・スコラ氏が提訴した。彼女は二〇一七年六月から二〇一八年三月まで、フェイスブックから業務委託されていた人材派遣会社プロ・アンリミテッドの従業員であり、フェイスブック上でライブ配信された殺人や自殺、斬首などのコンテンツを監視・審査するタスクを任されていた。スコラ氏は、フェイスブック社が多数のコンテンツ・モデレーターに安全な労働環境を提供しなかったため、この仕事によって心的外傷後ストレス障害（ＰＴＳＤ）を発症したと訴えたのだ。この訴訟でも、同様の被害を受けた他の元コンテンツ・モデレーター一万人以上が加わり、巨大な集団訴訟となった。[*11]

結果、フェイスブックは原告らと総額五二〇〇万ドルで和解に達した。和解条件としてフェイスブックは、人材派遣会社に対し、カウンセラーによるコーチングセッションの提供など、精神衛生面でのサポートをするよう義務づけられた。

これに続くように二〇二〇年九月にはユーチューブに対して、二〇二一年一二月にはティックトックの親会社のバイトダンスに対して、精神的被害を受けたとして元コンテンツ・モデレーターが訴訟を起こしている。フェイスブック訴訟で弁護士を担ったスティーブン・N・ウィリアムズ氏は次のように述べている。*12

「私たちがインターネット上で、殺人、性犯罪、獣姦、児童虐待、その他の卑劣な行為など最悪の投稿を目にしないで済むのは、コンテンツ・モデレーターのおかげです。彼らは世界で最も困難な仕事の一つに就いています。私たち全員が彼らをサポートする必要があります。モデレーターが使い捨てのように扱われているという事実は恐怖です」

デジタル植民地主義か、公正な仕事の配分か

二〇二三年九月、ケニアの首都ナイロビに世界数十カ国から数百人規模の人が集まった。インターネット上の言論の自由や、ＡＩ開発、プライバシー権、デジタル・プラットフォーム労働などに関する活動家や研究者、政策立案者たちだ。アフリカからだけでなくＥＵや米国、中南米からの参加もある。これは「モジラ・フェスティバル（通称モズフェス）」と呼ばれる国際会議の地域版で、オープンソースのソフト開発を推進する公益法人モジラ財団等が二〇〇九年から毎年主催するものだ。*13

オープニングで記念スピーチを行なったのは、ダニエル・モタウン氏。南アフリカ出身で

二七歳の彼の登場に会場は沸き立った。私は日本からオンライン参加をしたが、画面越しでもその熱気が伝わってきた。

「私は今日、コンテンツ・モデレーターの命を奪うシステムと闘うためにここに来ました。私は南アフリカからケニアに移り、IT企業のサマ社で働きはじめました。仕事内容はフェイスブックのコンテンツ・モデレーターです。私たちの命を脅かすのは、そう、あなたや他の誰かが投稿する有害なコンテンツです」[*14]

ケニア企業であるサマ社はフェイスブック（現メタ）から業務委託を受け、数百人の若者を雇用していた。彼らの仕事は、インターネット上の暴力、レイプ、児童性虐待などをチェックするコンテンツ・モデレーターだ。時給は二ドル前後しかないなかでの過酷な仕事の環境改善を求めるため、モタウン氏は二〇一九年に内部告発をし一〇〇人以上の同僚に労働組合の結成を呼びかけた。ところがサマ社は、彼を解雇する。それればかりか、モタウン氏がメディアや弁護士に労働環境の問題を語ることを妨害するような行動にも出たのだ。

二〇二二年五月一〇日、サマ社の行為は労働組合つぶしを目的にした違法・無効な解雇であるとし、その撤回と劣悪な労働環境の改善を求めてモタウン氏は同社を提訴した。原告は最終的に二〇〇人以上となる。サマ社は、業務内容の詳細を隠した偽装的な求人広告によって、ケニアだけでなく南アフリカ、エチオピア、ウガンダ等の貧困家庭の若者を主なターゲットに採用活動を行なってきたことが調査で判明。これは人身売買や強制労働に当たり、仕事の発注元であるメタ社にも責任があると原告側は訴えた。

この訴訟は、オンライン・プラットフォームでの労働環境の問題ということ以上の意味を持っている。なぜなら、このケースは途上国の一人のワーカーが米国の巨大ＩＴ企業に対して行なう初めての訴訟だったからだ。モタウン氏は言う。

「私は貧困家庭の出身です。ほとんどのプラットフォーム・ワーカー、特にグローバル・サウスの人々は貧困という背景を持ってこの仕事に就いています。解雇された時、私たちに頼る術は何もありません。私自身も、後に診断を受けて初めてＰＴＳＤにかかっていると知りました。労働者を守る法律も弱く、診断や治療を受けることも難しいからです。私の場合は、幸運にも英国の団体が支援してくれたので訴訟を起こせましたし、治療を受けることもできました。でも他の人はそういきません。社会的・経済的にグローバル・ノースとグローバル・サウスの間には、大きな差があります。先進国は特権を持っています。同じモデレーターの仕事をしていても、ノースとサウスのワーカーは同等に扱われていません」

彼の提起した裁判は、先進国の巨大ＩＴ企業が途上国の貧困層の苦境に付け込み、劣悪で搾取的な労働に仕向けていることに光を当て、大きな世論を巻き起こした。ロンドンを拠点とするフォックスグローブやアムネスティ・インターナショナル等のＮＧＯをはじめ、八〇団体以上の市民社会組織や労働組合がモタウン氏に賛同し、メタに対して是正を求める国際キャンペーンを行なった。[*15]

実際、オンライン・プラットフォーム労働のビジネスモデルには、先進国と途上国の間での激しい格差の構造がある。デジタル・プラットフォーム投資の九六パーセントはアジア、北米、欧州に対してなされているが、収益の約七割が米国と中国の二カ国に集中する。特に、非対面型（インターネット基盤型）では、先進国の企業が発注する仕事を、途上国（インド、フィリピン、ウクライナなど）の労働者が安価で引き受けている。このような状況は、デジタル・インフラが強靭ではない途上国の中小企業の事業活動を妨げ、経済的な不平等を拡大する恐れがある（先述のILO報告）。

オックスフォード・インターネット研究所とWZBベルリン社会科学センターが中心になり進める「フェアワーク（公正な労働）プロジェクト」[*16]は、デジタル労働プラットフォームにおける公正な労働基準の策定をめざし、「報酬」「労働条件」「契約」「管理」「代表制（組合の結成を含む）」の五つの指標で毎年プラットフォーム事業者の採点を行なっている。二〇二二年の調査結果では、代表的な非対面型のプラットフォーム一五社のうち、一〇点満点中の五点以上を獲得したのは二社のみで、一～二点が七社、〇点は四社だった。[*17]報告書は、プラットフォーム事業者とワーカーとの非対称性に加え、圧倒的な「北と南」の力関係の差を指摘している。「クラウドワークには高い集中度があり、少数の強力な企業が市場を支配しているが、そのほとんどは世界的な権力の中心、特に米国に位置している。加えて、需要の大半は北半球にある顧客からのものである一方、利用可能な労働力の大半は南半球にある。私たちの調査に参加したグローバル・サウス出身の労働者の多くは、地理的条件による差別の問題を強調している」たとえば一部のプラットフォームでは、特定の途上国のワーカーに対してアカウントを開設させず排除し、より条件の良い仕事を先進国のワーカーに提供するという恣意的な行動が報告されている。

近年、こうした非対称・不公正なデジタル経済の拡大は「デジタル植民地主義」として国際市民社会や研究者から批判されている。イェール・ロースクール客員研究員のマイケル・クウェット氏は、資源の収奪、データの抽出、デジタル・サプライチェーンの構築などと同様、クラウド・ソーシング型の労働をデジタル植民地主義の一つとして論じた。[*18] またインド出身でＩＬＯのシニア・エコノミストを務めるウマ・ラニ氏らは、米国のビッグ・テックが支配的な位置を占める国際デジタル分業の不均衡な構造のなかで、途上国の労働が歪んだ形で「再編成」されていることへの危機感を論じている。[*19]

ＡＩの興隆は今後も人間の仕事を必要とし、膨大な細切れの仕事を生み出しつづけるだろう。グローバルなデジタル経済のサプライチェーンに深く組み込まれた労働が、何を奪い、何をもたらしているのか、特にグローバル・サウスのワーカーの立場から可視化していく必要があると、モタウン氏は強調する。

「物事を決めているのは誰なのか、という問題です。たとえばワシントンではいつもＡＩの危険性が議論されていますが、ＩＴ企業や国会議員によるクローズドの会議です。会議が終わると彼らは『われわれは合意に達しました。ＡＩの危険性とは……』と私たちに伝えるのです。そこに私たちは参加することができません。

規制や訴訟というのは一つの手段ですが、たとえばケニアで規制を強化したり訴訟で勝てたとしても、フェイスブックなどの大企業はケニアから撤退してウガンダや他の国にビジネスの場所を移すだけでしょう。そして搾取は続きます。いま起こっていることが新たな植民地支配であるなら、歴史から学ぶ必要があります。つまり規制や訴訟という一種の特権的なアプローチではなく、ボトムアップです。五〇年先にＡＩがさらに多くのことができるようになったとしても、解決策は人間のなかからしか生まれてきません。私たちは技術の話ではなく、倫理の話をしなければなりません。デジタル・プラットフォームの労働者が国際的に協力し、コンテンツ・モデレーターやＡＩに関するシステムや、そこでの労働のあり方をデザインすること、その議論に参加できるようになれば、今のシステムは変わるでしょう。このイマジネーションは実現可能ですし、そのための議論を始め、私たちはもっともっとビッグ・テックの手をわずらわせていかなければなりません」

第8章

ロビイストから民主主義を取り戻す

二〇二一年、ブリュッセルのＥＵ本部ビル前で「ＥＵよ、ビッグ・テックのロビイストと一緒にベッドに入らないで」と訴える市民たち

© People vs. Big Tech

前例のなさゆえに、わたしたちは武装を解き、監視資本主義に魅了された。その間にグーグルは、宣言による侵略という技法を習得し、望むものを手に入れ、それを自分のものと称した。……グーグルは選挙プロセスにおける自らの有用性、官僚との強力なコネ、ワシントンとシリコンバレーの間での頻繁な人材の行き来、潤沢なロビー活動費、文化的影響を及ぼすための継続的な「ソフト・パワー」キャンペーンによって、自らの操作を積極的に保護した。

ショシャナ・ズボフ『監視資本主義——人類の未来を賭けた闘い』

グーグルに代表されるビッグ・テックが、この二〇年で強大な力を持つに至った要因は、決して単純なものではない。ビッグデータとＡＩを用いたデータ・マイニングと行動ターゲティング広告というビジネスモデル、気鋭の実業家と技術者、投資家、広告クライアントなどのプレイヤー、便利さと快適さを渇望する消費者——。

しかし、ビッグ・テックの真の「力」は、自らを規制するルールの策定を阻止するために、政治と政策に強い影響力を行使してきた、その戦略にこそ表れている。人材と資金を総動員するロビー活動はビッグ・テックによる要塞化であり、公共政策を歪め、監視資本主義の市場をここまで成功させてきた要因の一つだ。

もちろん、大企業によるロビー活動は、いつの時代にも、どの国でも行なわれてきた。しかしビッグ・テックの支配力が増すにつれ、国際的にも各国においても、規制を求める声はかつてなく高まってきた。するとその反作用として、ロビー活動はますます激しさを増す。そういうサイクルが顕著に現れている。

こうした攻防が激化するなか、ロビー活動の透明性を求める市民社会の運動や内部告発者、リーク文書などによって、秘密のカーテンの向こう側で行なわれているロビー活動の一端が、少しずつ人々の前に引きずり出されるようになった。

ワシントンからブリュッセルへ――舞台の移動

ビッグ・テックによる政策立案者へのロビー活動の主戦場は、もちろん米国だ。二〇一〇年代以降に連邦取引委員会を中心にGAFAに対する問題提起がなされ、新たな規制案が次々と出されている。また州・自治体レベルでの規制も進み、連邦政府・州がGAFAを反トラスト法（独占禁止法）違反などで提訴するケースも増加してきた。

二〇二一年に米国でGAFAM（グーグル、アップル、フェイスブック、アマゾン、マイクロソフトの五社）がロビー活動に投じた費用は、合計で約六五五六〇万ドル。トップはフェイスブックの二〇一〇万ドル、次いでアマゾンの一九三〇万ドルだ。特にフェイスブックは、二〇一八年のケンブリッジ・アナリティカ事件や二〇二一年の元社員の内部告発など立て続けに問題が発覚し、米国社会から厳しい目線が注がれた。規制強化の動きが連邦議会でも活発化すると、

図8-1　欧州でのテック企業のロビー費用トップ10（2020年）

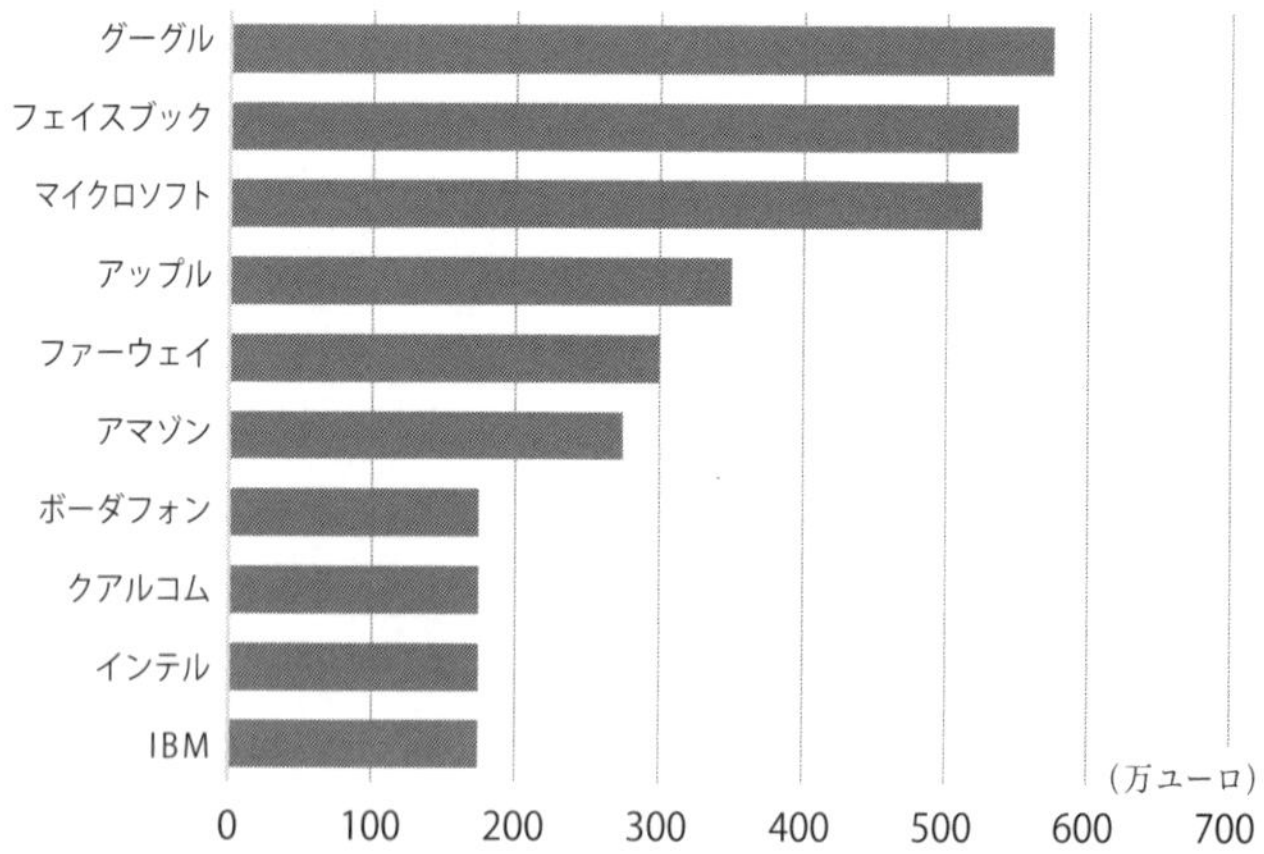

出典：LobbyFactsより著者作成

同社はロビー費用を大幅に増額。アマゾンを押さえトップとなった。

ビッグ・テックのロビー活動は近年、欧州でも急拡大している。

二〇二一年八月、ベルギー・ブリュッセルに拠点を置くNGO「欧州企業監視（CEO）」とドイツのNGO「ロビー・コントロール」は、「ロビー・ネットワーク――EUにおけるビッグ・テックの影響力の波」[*1]と題した調査報告書を発表した。両団体はEUでの大企業の行動を調査し是正を求める「ウォッチ・ドッグ（番犬役）」として広く知られる。

同報告書によれば、二〇二〇年、GAFAM五社のロビー費用は合計で約二二八〇万ユーロだった。米国と比べれば半分以下ではあるが、自動車産業や製薬、化学品など旧来の大

図 8-2　増加しつづける欧州でのビッグ・テックのロビー費用

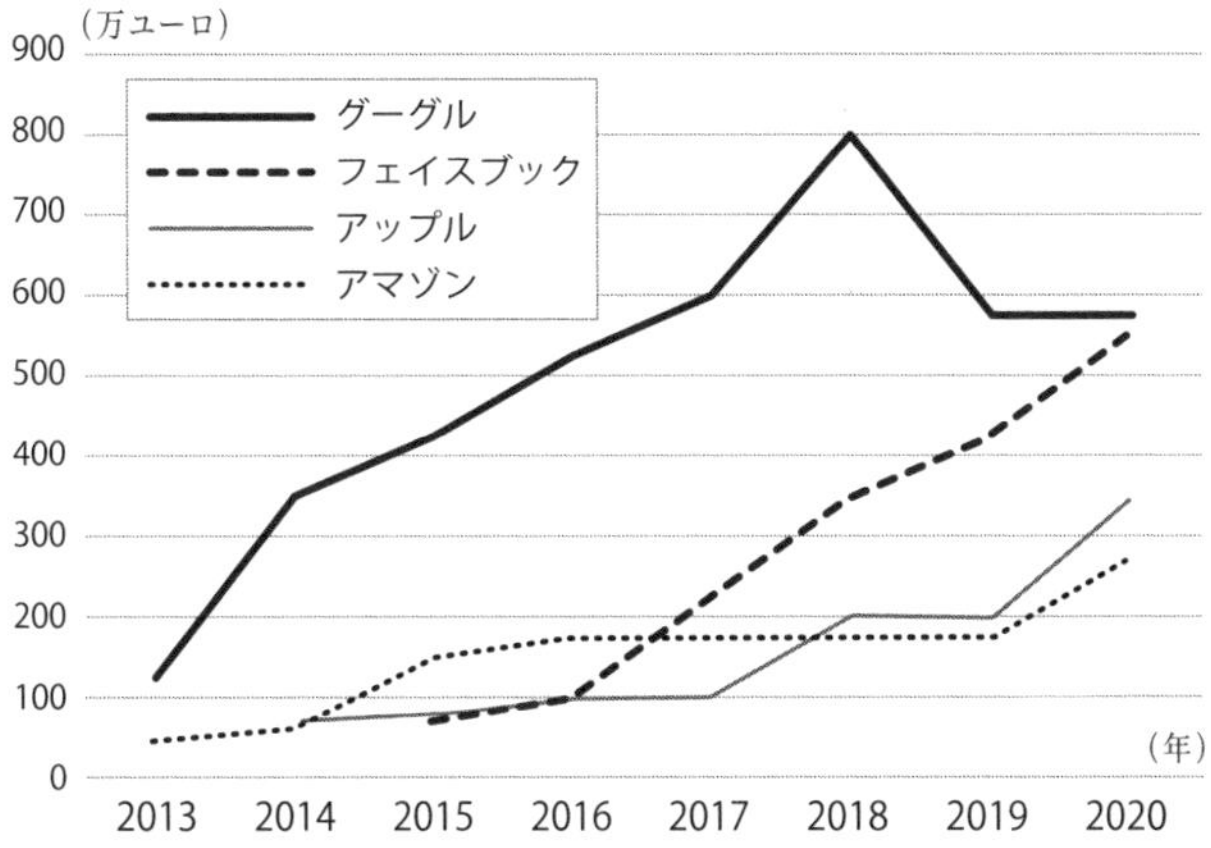

出典：LobbyFacts より著者作成

企業を押さえ、圧倒的な存在感を示している。しかも注目すべきは、ビッグ・テックのロビー費用がこの一〇年足らずで急増していることだ（図8-1、図8-2）。

調査の中心メンバーのマックス・バンク氏（ロビー・コントロール）は次のように指摘する。

「欧州でビッグ・テックのロビー費用が増加している理由は、もちろん、EUがGAFA規制案を次々と出しているからです。EUが規制案を提起する動きを見せると、GAFAがロビー活動を強めるという動きが顕著です」

ビッグ・テックとEU主要機関との攻防は二〇一〇年代から始まっていたが、明確なターニングポイントは二〇一五年だとバンク氏は言う。この年の五月、EUは域内のデジタル市場を統合し、公正な競争ルールのもとでの人、モノ、資本、サービスの移動をめざす「デジタル単一市場（DSM）」戦略を発表した。加盟国間で異なっている法律、制度、通信環境などを整備し、統一ルールをつくることでデジタル経済を成長させようというものだ。背景には、GAFAや中国のBAT（バイドゥ、アリババ、テンセント）に欧州市場が席巻されつつあることへの警戒・対抗意識があった。DSMには、個人データや消費者保護の強化、GAFAを想定した反トラスト競争調査、オンライン・プラットフォーム（検索エンジン、SNS、アプリ・ストアなど）の包括的な分析、さらにネット上の違法コンテンツへの対処など、幅広いルール化が盛り込まれた。

GAFAにとっては、これまでのビジネスに変化を強いる政治の側からの「攻撃」にほかならない。何らかの手を打たなければ、との危機感が急速に広がった。これを裏づけるように、二〇一五年からの各社のロビー費用は増加の一途だ。たとえばグーグルは、二〇一四年の三五〇万ユーロから二〇二〇年の五七五万ユーロと約一・六倍の増加。フェイスブックは二〇一五年の七〇万ユーロから二〇二〇年の五五〇万ユーロへと実に八倍近くの増額だ。申告されないロビー費用も含めれば、これらの額はさらに膨らむ。

「ビッグ・テックのロビー費用の特徴は、金額の多さだけでなく、少数であるGAFAへの集中です。しかも経済力の集中だけでなく、EUの政治プロセスをこれまで以上に支配する傾向があります。これほどの巨大なロビー・パワーは、他分野ではかつて見られませんでした」（バンク氏）

政府・議会との間の回転ドア

実際、ビッグ・テックのロビイストたちはどのようにして欧州の政策立案者に影響を及ぼしているのだろうか。

欧州には、欧州議会と欧州委員会が管理するロビイスト登録制度「ＥＵ透明性登録簿」がある。外国企業・団体を含むロビー団体が登録し、費用や欧州議会・欧州委員会メンバーとの面談回数、ロビイストの人数などを申告する（一部のみ義務化）。二〇二一年八月時点で登録されているロビー団体は一万二五六四団体。このうちＥＵのデジタル経済政策にロビー活動を行なうのは約六〇〇の企業・ビジネス団体とされ、日々、ＥＵ機関（欧州委員会、欧州議会、ＥＵ理事会）が集中するブリュッセルにて活発に動いている。

財界と議員・ＥＵ機関の間での転職は「回転ドア」と呼ばれ、伝統的なロビー活動の一つだ。他の産業同様、ビッグ・テックとの回転ドアは回りつづけている。

ＧＡＦＡのロビー活動を調査する米国の市民団体「技術の透明性プロジェクト（ＴＴＰ）」[*2]によれば、二〇〇六年以降の一〇年間で、グーグルはＥＵ機関から少なくとも六五人を雇用している。逆に、グーグルからＥＵ機関や各国政府機関などに少なくとも八〇人が転職をしている。

たとえば、二〇一〇～一五年に英国の副首相を務めたニック・クレッグ氏は、二〇一八年にフェイスブックに転職し、国際問題担当プレジデントの役に就いた。欧州議員を務めたこともある同氏は、英国内だけでなくEU機関にも広い人脈を持つ。クレッグ氏は、ケンブリッジ・アナリティカ事件が発覚し、フェイスブックが米国連邦議会で激しく追及されていたちょうどその時、同社に転職した。この際、最高経営責任者のマーク・ザッカーバーグ氏は「クレッグ氏の政治力に期待する」と公言しており、実際、二〇二一年に元従業員のフランシス・ホーゲン氏が「フェイスブックはユーザーの安全よりも利益を優先している」と内部告発すると、クレッグ氏は彼女の主張を「馬鹿げた言い分」などと非難し、テレビや新聞でフェイスブック擁護の論陣を張りつづけてきた。

グーグルも、欧州議会、英国大使館、スペイン法務省、ポーランド経済省、北大西洋条約機構（NATO）に至るまで、欧州各国から戦略的に採用を続けている。グーグルの最高経営責任者や会長を務めたエリック・シュミット氏のように、英国のビジネス諮問委員会に任命されるケースもある。

一九九四年以来、英国労働党の国会議員を務めるマーガレット・ホッジ氏は、企業のロビー活動を長年見てきた経験から次のように述べている。

「戦略的な雇用は、公共圏での影響力を得ようとするグーグルのビジネスモデルにとって不可欠の要素です。グーグルは意図的にそうした文化を育んでおり、政府にできるだけ近づくことが重要であると考えています。逆に、政府関係者がグーグルに〝畏敬の念〟のようなものを抱いていることも事実です[*3]」

自社メディア・広告を使用した反規制キャンペーン

ビッグ・テックならではの強みを生かしたネット空間でのキャンペーンが、人々の心をとらえ、世論を動かす力にもなってきている。

たとえば近年、問題視されているのが、ネット上での「アストロターフィング」と呼ばれるロビー活動の一種だ。一見すると自発的な草の根運動だが、実は背後にいる企業や組織の主張を代弁させる手法で、「人工芝運動」や「偽の草の根運動」などとも言われる。一つの例を紹介しよう。

「あなたのビデオが見られないインターネットを想像してみてください。お気に入りのクリエイターがいない、新しいアーティストを発見できないインターネットを想像してみてください。このすべてが欧州で現実となる可能性があります」

これは、二〇一八年に欧州各国に広がった「#SaveYourInternet（あなたのインターネットを守ろう）[*4]」というキャンペーンのメッセージだ。当時、欧州議会では著作権の保護強化に関するEU著作権指令が議論されていた。このうち第一三条は、プラットフォーム企業に対し、コンテンツ中の著作権法の厳格な適用と著作者への公正な報酬の責任を負わせる内容だった。これまでユーチューブは、著作権違反と報告されたコンテンツのみをブロックする責任があったのだが、この条項により、ユーチューブが著作権で保護されたコンテンツかどうかを確認し、発生した報酬を著作権者に支払わなければならなくなる。

これに対しユーチューブは、数百万人規模のユーチューバーを動員する作戦に出た。ユーチューブはキャンペーン用の画像等の「コミュニケーション・ツールキット」を無料で提供。しかもそれらは欧州全域で拡散されるよう六カ国語（英語、フランス語、ドイツ語、イタリア語、スペイン語、ポーランド語）で用意されているという周到ぶりだった。著作権を適切に守るためプラットフォーム企業に責任を課す目的だったEU指令は、「表現の自由を奪うEUの権威主義」と読み替えられ、多くのユーチューバーが何百本もの動画を投稿。「第一三条をつぶせ！」というスローガンがネット上で広がり、欧州議員のもとには何千ものメールや電話が殺到した。

第一三条をめぐっては、欧州議員のなかでも賛否の議論が起こっていた。規制と表現の自由のバランスをどうとるか、技術力のない新規参入企業が排除されないかなど、さまざまな論点がある。しかしそうした議論を飛び越え、単純なメッセージで指令をつぶそうとするやり口に、議員やEU機関関係者は怒りをあらわにした。欧州議会で社会民主進歩同盟に属するヴィルジニー・ロジエール議員は、「反著作権指令キャンペーンでは、無数のユーチューバーが最強のロビイストになったのです。ユーチューブ、つまりグーグルは、プラットフォーマーとしての責任を回避するため、支配的な地位を乱用してユーチューバーを操り、巧妙なキャンペーンを仕組みました。公然とロビー活動を〝外注〟しているようなものです[*5]」と語る。

SNSでの発信力を買われてロビイストに抜擢された政治家もいる。フェイスブックは、欧州でのロビー活動の代表として英国出身のオーラ・サラ氏を雇用した。彼女は、中道右派の政治支持者と、SNSを利用する若者世代をターゲットに、インスタグラム（フェイスブックが二〇一二年に買収）で盛んに発信をする。エクササイズ・バイクやピラティスの写真とともに、GAFAへの規制をやんわりと批判するストーリーを書き込むのだ。これには高度なテクニックが必要だが、ミレニアル世代である彼女は難なくやってのける。個人情報の漏洩や市場独占などで失墜したフェイスブックの評判を修復し、欧州の政策立案者たちの規制の手を緩めることが、彼女の最大かつ喫緊の仕事なのだ。

強固なロビー・ネットワークとしての研究者・機関

多様で複雑化するロビー活動の影響のなかで、市民社会が最も懸念するのが、研究の独立性の問題だ。

グーグルを筆頭に、ビッグ・テックはこれまでも多額の資金を研究者個人や研究機関、シンクタンクに拠出してきた。資金供与自体は責められるべきではないだろう。しかしEUで次々と重要な規制案が議論されるなか、研究者による技術の評価や社会的影響の分析は、今まで以上に政策に影響を与えるようになった。その際、ビッグ・テックから資金供与を受けた研究の独立性が問われているのだ。

たとえば、グーグルが資金供与をするシンクタンク「欧州国際政治経済センター」は、二〇二〇年一二月に欧州委員会が発議したデジタル・サービス法案（DSA）およびデジタル市場法案（DMA）が実現すれば、「欧州全体のGDPは年間八五〇億ユーロもの損失をこうむる」との試算を公表した。これは言わば「脅し」の戦略だが、欧州委員会の競争総局の元チーフ・エコノミスト、トンマーゾ・ヴァレッティ教授は、自身のツイッターで「馬鹿げた試算」と厳しく批判した。*6

二〇一〇年代以降、ドイツやフランス、英国などの主要国では、グーグルが全面的に資金提供をする形で、新しい研究所やシンクタンクが設立されてきた。限られた研究費に苦戦する研究者にとっては魅力的であり、何よりもグーグルが世界中から集めたビッグデータにアクセスできるという「特権」が得られる。グーグルのロビー幹部が立ち上げから関与したこれら機関から、年間数百本の論文が世に送り出される。そこに資金提供者の「意図」がどれほど反映されたのかを計るのは難しいが、少なくともビッグ・テックから資金供与を受けた研究者・機関はその事実を公表すべきだとヴァレッティ教授は言う。

「ビッグ・テックは、研究機関だけでなくシンクタンク、中小企業、スタートアップ企業、そして非営利のＮＧＯにも資金供与することで、幅広い学術ネットワークを形成しています。多くの組織が資金提供元を開示していないため、潜在的な利益相反の危険性が曖昧になっているのです。ＥＵ機関は、ロビー活動に関する制度を変更し、ビッグ・テックの力を制限する必要があります[*7]」

新たなロビー戦略──「物語をリセット」する

二〇二〇年一〇月、フランスのメディア『ル・ポワン』が、あるリーク文書について報じた。「ＤＳＡに対する六〇日計画・更新版」と題されたこの文書は「機密・関係者のみ」とされていた。文書の出所は、グーグルであった。

ＤＳＡとは、デジタル・サービス法のことで、二〇二〇年一二月に欧州委員会が発議した（二〇二二年一〇月に施行）。同法案はデジタル市場法案（ＤＭＡ）とセットで準備され、二つの法案によってデジタル市場の透明性の向上や独占の規制、プライバシーの権利の確保などをめざすものだ[*8]。ビッグデータとＡＩによるターゲティング広告なども包括的に規制しようとするこれら法案は、まさに「史上最強のビッグ・テック規制案」と言える。この規制案が国際標準になる可能性もあるため、世界の規制当局も注目していた。

リーク文書の中身は、二つの法案に対するグーグルの「秘密の攻撃計画」だった。欧州の

NGO経由で筆者もこの文書を手にしているが、最初の数ページにはDSAの概要や論点（特にグーグルに直接関係する項目や課せられる義務）がまとめられている。それに続く「六〇日計画」では、グーグルのビジネスモデルに対する「不合理な制約を欧州委員会の提案から取り除くこと」が目的に挙げられている。つまりはDSAの内容を骨抜きにせよ、ということだ。そのための具体策として、「効果的なコミュニケーションを通じて、DSAの政治的物語をリセットする」「貿易問題として、米国政府および大西洋地域の同盟国を動員する」「DSAがインターネットの可能性をいかに制限するかを示す」などが列記される。計画の最大のターゲットは、法案策定の中心人物である欧州委員会のティエリー・ブルトン委員（域内市場担当）だった。「SNSやブログの発信」「ユーチューブの『声』の利用」「既存メディアにグーグルの主張を載せた記事を書かせる」、さらには「他のテック関連企業を『同盟』にして同調させる」等々、事細かなメニューが書き込まれている。

貿易紛争やメディア操作など、一企業が仕掛けられる範囲を大きく超えるこの「作戦」が報じられると、欧州議員や政府関係者は衝撃を受け、怒りも広がった。米国メディアも自国内の規制の議論と重ね合わせる形で批判的に報じたが、日本での報道は一切なされていない。

この文書から、ここ数年のビッグ・テックのロビー戦略の変化が読み取れると、前出のマックス・バンク氏は言う。

「二〇一八年、個人データやプライバシーの保護に関して、より厳格なEU一般データ保護規則（GDPR）が施行されました。ここが一つのターニングポイントです。それ以前、ビッグ・テックは『規制やルールなど必要ない。われわれ自身が対処できるから自主規制をすればよい』という主張でした。しかしGDPR施行後、彼らの言説はガラリと変わりました。『規制やルールはもちろん必要です。私たちは政策立案者との対話とパートナーシップに基づき行動します』というように。しかし、実は裏でやっていることは相変わらず同じで、自らのビジネスモデルを侵害しない範囲でなら従ってもいい、と言っているのです」

欧州でも米国でも、ビッグ・テックへの規制論は、世論の後押しもあり、加速の一途だ。米国では共和党・民主党の双方から「ビッグ・テック解体論」までも出ている。こうしたなか、以前のように「規制はいらない」と主張すれば猛反撃を受けてしまう。そのため、表向きには規制を受け入れる姿勢をとりつつ、その内容を骨抜きにする――この戦略を進めるために彼らは「効果的な三つのナラティブ（物語）」を繰り返し使うのだとバンク氏は言う。

「まずは、『ビッグ・テックは問題解決のための〝かけがえのない存在〟です』というもの。裏を返せば、規制されればイノベーションが阻害されるという意味です。次に『私たちは、中小企業と消費者を守っています』。そして三つめが『中国の脅威』です。三つとも規制の議論の本質をずらすものですが、あの手この手で繰り返し語られると、正しいことのように受け入れられてしまうのです」

欧州のAI規制法案成立の裏側――ロビイストの動き

二〇二二年一一月、米国のオープンAI社は生成AI「チャットGPT」を発表した。世界はこの新たなAIシステムの登場に沸き上がり、研究者や専門家だけでなく一般の人、そして各国の政策立案者の間でも賛否が激しく議論されつづけている。

生成AIがもたらす問題点として、①著作権、②個人情報・プライバシー権、③有害情報(誤情報・偽情報・バイアス等)などが挙げられている。①の著作権の問題には、(a)機械学習の段階で大量に集められる多種多様なデータの著作権侵害について、(b)生成AIによって生み出された「創作物」が既存の創作物と酷似していた場合、著作権侵害に当たらないのか、という二つの側面がある。②の個人情報・プライバシー権の問題は、チャットGPTへの指示を与えた際、どこかで入手し学習した個人のメールアドレスや医療情報などの要配慮個人情報を生成AIが出力してしまう危険性がある。③については、生成AIに機械学習させるデータには、私たちの現実世界に存在するさまざまな偏見や差別に満ちた内容も含まれているため、アウトプットにも予期しない形でそのバイアスが反映されてしまうことがありうる。たとえば、特定の宗教や人種に対する差別や、性差別や暴力的な表現をAIが生み出す可能性だ。その場合、「これは生成AIで作成されました」との記載があるからよいという話にはならず、責任の所在や、その表現によって現実世界で被害を受けた人への救済措置など、多くの課題がある。生成ＡＩの課題は、利便性や産業推進の観点からだけでなく、人権や民主主義、科学と知識・文明との関係から理解し、対応する必要がある。

こうした問題意識から、各国や国際機関は生成ＡＩへの対応に乗り出してきたが、チャットＧＰＴの登場は各国政府にさらなる警戒をもたらした。二〇二三年六月一四日、欧州議会はすでに審議されていたＡＩ規制案のなかにチャットＧＰＴなど生成ＡＩも対象にすべきとする修正案を採択した。規制案では、ＡＩについてのリスクを「容認できない」から「最小限」までの四段階に分類し、各レベルでＡＩサービスの提供者とユーザーの義務を定めている。生成ＡＩについては、ＡＩを使ってつくられた文章や画像であると明示することなど、透明性の義務を課し、違反した場合には最大で四〇〇〇万ユーロか、法人の場合は年間売上の七パーセントのいずれかの高いほうが罰金として科される。

同年一二月九日、ＥＵ理事会と欧州議会は、ＥＵ域内におけるＡＩの包括的な規制枠組み規則案（ＡＩ法案）が暫定的な政治合意に達したと発表した。[*9] 欧州委員会が二〇二一年四月にＡＩ法案を発表して以降、二年半にわたる議論の末の合意だ。法案は今後、加盟国と欧州議会による正式な承認を経て成立し、二〇二五年後半から二〇二六年には適用される見通しだ。ＥＵのＡＩ規制案は国際的なルールづくりにも影響を及ぼすことになるだろう。ビッグ・テックへ果敢に規制の網をかけつづける欧州の姿勢は、米国と同じかそれ以上に規制の緩い日本から見れば、ずいぶん先を行くように感じられる。

しかし、AI規制案をめぐる一連の動きのなかで、ビッグ・テックのロビイストが法案の内容を「骨抜き」にしようと激しく動いていたことは、ほとんど報じられていない。長きにわたり企業のロビー活動を監視してきた市民社会のメンバーは、苛立ちを隠せない。ロビー・コントロールのフェリックス・ダフィー氏は言う。

「私たち市民には、交渉中に何が起きているのかを知る権利があります。三者協議（欧州委員会、欧州議会、加盟国の協議）の文書へのアクセスを意図的に遅らせるべきではありません。EU機関は、新しく起草された文書が迅速かつ積極的に公開され、誰もが立法過程を精査できるようにすべきです」

二〇二三年二月、欧州の市民団体やNGOは協力して、AI規制案に関する三者協議の内容を市民に公開することを求める署名活動を始めた。[*10] 呼びかけの文章には、「三者協議は秘密裏に行なわれる不透明なプロセスであり、人脈と資金に恵まれたロビイストにとって特に有益である」と書かれている。同年一〇月、市民団体メンバーは欧州全体から寄せられた約一万七〇〇〇人の署名を、欧州議会のカタリナ・バーリー副議長へ提出した。

ダフィー氏は、欧州機関内でAI規制案の議論が加速するのとほぼ同期して、ロビイストの動きも活発化したと指摘する。

「三者協議では、チャットGPTのリリースを受けて『基盤モデル（大量の生データで訓練されたＡＩのニューラルネットワーク）』を規制する必要性についての議論が高まりました。するとビッグ・テックは規制を避けるか最小限に抑えるよう、国会議員や欧州議員に激しく働きかけたのです」

実際、二〇二三年に欧州議員が登録したＡＩに関する会合二七七件のうち、三分の二に当たる一八五件はＩＴ企業や産業団体との会合であり、市民社会組織との会合はわずか二九件だった。また多くが欧州議会での提案が採決にかけられる前の二〇二三年六月に集中している。[*11]オープンＡＩの最高経営責任者であるサム・アルトマン氏は、ブリュッセルと欧州各都市を頻繁に行き来し、「オープンＡＩは（欧州でのＡＩ規制を）遵守するよう努力するが、遵守できない場合は（欧州での）事業を停止する」と繰り返し牽制した。

結果的に、二〇二三年一二月に大筋合意となったＡＩ規制案は、市民社会にとって満足できない結果となった。

ドイツに拠点を置く「アルゴリズム・ウォッチ」は、市民社会による働きかけによって、ＡＩ規制法に基本的権利についての影響評価と高リスクＡＩ導入時の透明性義務が含まれたことを高く評価しつつも、「自社のシステムが高リスクとみなされるかどうかについて、ＡＩの開発者自身が発言権を持つという意味では、ＡＩ規制法には『重大な抜け穴』が含まれています」と警告する。[*12]

公共の利益、民主主義に基づくテクノロジーを

ロビー活動とは、政治家や政府関係者に働きかけ、自らが望む政策を実現させようとする取り組みを言う。その主体は企業に限らず、労働組合や消費者団体、環境や人権などさまざまなテーマで活動するNGOも含まれる。ロビー活動は正当な民主的メカニズムであり、多様な主体の働きかけによって議員や世論の視点を豊かにすることもできる。

一方で、ロビー活動には、経済力を持つ者が圧倒的優位に立ち、それ以外の者を駆逐してしまうという本質的なリスクがある。いま起こっている問題は、まさにそのリスクが現実となっているという状況だ。

先述の欧州企業監視とロビー・コントロールの報告書によれば、DSA・DMA法案を起草する欧州委員会が二〇二〇年に同法案に関して面談した二七一のロビー団体のうち、八〇パーセントは企業・業界団体で、市民社会組織はわずか二〇パーセントだった。政策を訴える以前に、政策立案者に会うこと自体に圧倒的なハンディがあると言わざるをえない。この状態を放置すれば、人々の権利や安全、社会的公正などの価値に基づく公共政策は、企業の利益の前に歪められてしまう。

こうした危機感から、欧州では欧州企業監視やロビー・コントロール、トランスペアレンシー・

インターナショナルなどの市民社会組織が、ロビー活動の透明性の向上と規制の強化を求める運動を粘り強く続けている。たとえば、透明性登録簿の強化（完全義務化）やシンクタンク・研究機関の資金源の開示義務化、回転ドア規制の強化と独立した倫理委員会の設置などだ。逆に、より広範な人々の声を代表する中小企業、市民社会組織、独立研究者、地域団体がEU機関関係者と対話する機会を増やすことも提案している。

「明らかに、現在の力関係は間違っています。ビッグ・テックは政治への特権的なアクセスを持ち、経済・社会全体でますます優位に立つようになりました。ロビイストがテクノロジーの未来をつくることがないように、人々が政策議論に参加することが重要です。そして、これはブリュッセルだけでなく世界の多くの政治中枢機関で同時に起こっていることです。東京も同じでは？」

バンク氏の指摘はまったく正しい。日本には米国やEUのようなロビー団体登録制度がなく、そもそも全体像を把握できないという課題がある。そんななか、米国および日本のテック業界は、日本の規制当局に対しても日々働きかけをしている。

二〇二二年一月一四日、総務省の有識者会議で検討されてきた電気通信事業法の見直しの一環として、「ネット広告規制案」が議論されたが、事業者団体の反対で大きく後退をした。*13 この規制案は、パソコンやスマートフォンからの購入履歴やウェブの閲覧履歴、位置情報などの「利用者情報（データ）」を広告主などの第三者に送信する際に、利用者の事前同意を義務づける内容だった。私たち利用者にとっては安心につながる規制であるが、第2章でも見たように、ＩＴ関連企業からなる新経済連盟と在日米国商工会議所（ＧＡＦＡはじめ米国のビッグ・テックも多数加盟）を中心に業界団体は猛反発。事前のロビー活動も展開されたことで、規制は骨抜きになった。規制に賛成する消費者団体などの声は、少数意見として切り捨てられた。欧州で起こっていることと、基本的な構図はまったく同じだ。

二〇二一年にノーベル平和賞を受賞したドミトリー・ムラトフ氏とマリア・レッサ氏は、二〇二二年九月二日、オスロで行なわれた「表現の自由」会議にて、「私たちの情報の危機に対処するための一〇の行動」と題したスピーチを行なった。ムラトフ氏はロシアの独立系新聞のジャーナリストとして、レッサ氏はフィリピンのネットメディア『ラップラー』の創設者として、政府からの言論弾圧と闘ってきた。ここで両氏は、ビッグ・テックのビジネスモデルがジャーナリズムの機能を劣化させ、民主主義を後退させていると指摘し、「ビッグ・テックの異常なロビー機能と偽りのキャンペーン、回転ドア人事に挑戦する」と述べた。[*14]

ワシントンで、ブリュッセルで、東京で――。私たちは、ビッグ・テックのロビー活動という要塞を解体し、公共の利益と民主主義、法の支配に基づくテクノロジーの可能性を、それぞれの場所で創造し、統治していかなければならない。

第9章

アマゾン帝国を包囲する

© Make Amazon Pay

二〇二三年一一月、ブラック・フライデーの「メイク・アマゾン・ペイ」の国際アクション。先進国では倉庫労働者のストライキ、バングラデシュなど途上国・新興国では衣料生産工場で働く女性たちが大規模なデモを行なった

ジャイアント・キリング——たった一人の闘い

「この倉庫では毎日五〇〇〇人が働いている。感染は広がっているが、会社の措置は不十分だ。健康上の問題を抱える人には一カ月以上も給料が支払われていない。利益のため——？　人々は命の危険にさらされているんだ。アマゾンは労働者を裏切った。俺は解雇された。世界は真実を知る必要がある。みんなが称賛する『エッセンシャル・ワーカー』って誰だ——？」[*1]

二〇二〇年五月一日、米国ニューヨーク市スタテン島にあるアマゾン倉庫の一つ「JFK8」前で、クリス・スモールズは訴えていた。

アフリカ系アメリカ人で三二歳のクリスは、長身で顎ひげを生やしているが、人懐っこい瞳が印象的だ。アマゾンで働きはじめたのは二〇一五年。ニュージャージー州の倉庫勤務から始まりコネチカット州へ、二〇一六年からニューヨークのJFK8に移った。三人の子どもを持つ彼は熱心に働き、倉庫内では中間管理職であるスーパーバイザーとなった。

新型コロナウイルスが米国を猛襲した二〇二〇年春、ステイホームが要請されると、アマゾン利用者は急増。業務も過酷なものとなる。倉庫内では人手が足りず、毎日大量の人が、アプリでごく簡単な情報を登録するだけで「採用」され、それと同じ簡単さと速度で辞めていった。倉庫内でもコロナ感染が広がっていった。同僚が感染したことがわかると、クリスほか数名の接触者は二週間の自宅待機を命じられる。しかし彼は、そもそも職場での感染防止対策が不十分だったと指摘し、従業員の安全確保をアマゾンに求めた。会社側はこれを聞き入れなかったため、三月三〇日、クリスは仲間とともに「ウォークアウト」（従業員による一斉の作業停止）を行なった。コロナ禍でも働きつづけられるため、有給休暇や健康管理の改善、危険手当の支給などを求めるものだった。

ところが、クリスはその日のうちに解雇されてしまう。

アマゾン側はその理由を「倉庫でのコロナ対策は万全だった。スモールズ氏は自宅待機要請を無視し、他の従業員を危険な状態にさらした」と説明している。

クリスにとって解雇は不当だった。コロナ以前から労働環境には多くの問題があり、使い捨てにされていると多くの仲間が感じていた。特に、黒人やヒスパニック系の従業員は望んでも昇進できる可能性はきわめて低く、クリス自身も「七五回も昇進試験を受けたがすべて落ちた」という。問題を改善するためには、多くの仲間の声を集め、会社に働きかける必要がある――クリスは「アマゾン労働組合」[*2]を立ち上げようと決める。

後にクリスは「ジェフ・ベゾスにとって最悪の敵」と評されるまでの存在になるのだが、巨大ＩＴ企業と解雇された倉庫労働者の闘いは、無敵の巨人ゴリアテに挑む羊使いの少年ダビデの物語「ジャイアント・キリング」（旧約聖書）にもなぞらえられた。ビッグ・テックとの闘いが始まった。

組合の結成に奔走

解雇から五日後の四月四日、クリスはまず、ツイッターに自分の似顔絵つきのメッセージを投稿した。

「ベゾス氏へ、俺はあなたの力には屈しない」。本文には「これは決してアマゾンとクリス・スモールズの闘いではない。アマゾンと人々の闘いだ！　応援してくれ」と書かれた。[*3]

スタテン島にはＪＦＫ８を含め四つの倉庫があり、約七〇〇〇人が働いている。従業員はマンハッタンからフェリーでスタテン島に移動し、港からはバスで倉庫に出勤する。クリスは倉庫近くのバス停前にテントを張り、ほとんどの時間をそこで過ごすようになる。毎朝毎夕、出退勤する従業員一人ひとりに声をかけ、組合に勧誘するためだ。「Our health is just as essential（私たちの健康はまさにエッセンシャル＝不可欠だ）」と書いたバナーを持ち、勧誘チラシを手渡し、時にはランチやバーベキューを提供しながら、なぜアマゾンに組合が必要なのかを訴えた。

クリス・スモールズが投稿した画像

「私にとってまさに生きるか死ぬかの問題でした。誰もがそうなる可能性があるし、実際多くの人が解雇されています。だから一刻も早く組合をつくって対抗する必要があったのです」

米連邦法の規定では、労働組合を結成するにはまず職場の全従業員の三〇パーセント以上の署名（組合支援カードと呼ばれる）を集める必要がある。これをクリアすると、全従業員による投票が行なわれ、過半数の賛成を得れば結成となる。[*4] クリスは、JFK8で働く約五〇〇〇人の三〇パーセント（約一五〇〇人）の署名を第一目標に、倉庫で働きつづける仲間たちとともに活動をした。

一九九四年にインターネットの小売業からスタートしたアマゾンは、二〇一〇年以降は「テクノロジー企業」へと変化し、いまや世界の巨大IT企業となった。アマゾン・ウェブサービスやAIを用いた生体認証機器の開発など、業務は拡大の一途だ。

GAFAのなかでアマゾンが唯一異なるのは、膨大な数の従業員を雇用している点だ。倉庫内の業務の多くは自動化・ロボット化されてはいるが、顧客からの注文から出荷までには多くの人の手が必要だ。また配達員なしでは商品は顧客に届かない。つまりアマゾンのビジネスモデルにとって、倉庫労働者や配達員はまさに不可欠（＝エッセンシャル・ワーカー）なのである。

ところが、アマゾンの労働者軽視、反労働組合の姿勢は有名だ。

アマゾン創業者で取締役会長（二〇二一年七月まで最高経営責任者）ジェフ・ベゾス氏の経営理念は「顧客第一主義」だが、労働者への敬意はどこからも読み取れない。徹底した能力主義を導入し、面接で「ワークライフバランスを重視」などと答えた人物はことごとく不採用。プライベートも投げ出して働くことが当然という社風で経営を進めてきた。

クリスを解雇した際にも、その姿勢を象徴する事実が発覚している。「ヴァイス・ニュース」が入手したリーク文書によれば、解雇後に開かれた幹部会議（ジェフ・ベゾス氏も参加している）にて、法務顧問のデビッド・ザポルスキー氏は、「彼（クリス）は賢くもなければ、明晰でもない。メディアがわれわれと彼との対決に注目したとしても、われわれははるかに強力な広報活動をすることができる」と述べていたことが明らかになっている。[*5] 幹部らは、「組合結成の顔」としてのクリスを徹底的に打ち負かすことで、他の倉庫でも始まりつつある労働運動を失速させる計画を話し合ったのだ。

他方、クリスの解雇はコロナ禍でのエッセンシャル・ワーカーの処遇を問う動きへと押し上げられていく。ニューヨーク州検事総長のレティーシャ・ジェームズ氏は、この解雇を「不名誉なことだ」と述べ、全米労働関係委員会（ＮＬＲＢ）による調査を求めた。ニューヨーク市長のビル・デブラシオ氏も、同市の人権委員会に対し調査を求めた。

クリスは倉庫前での活動を続け、写真や動画を日々ツイートし、活動への参加を呼びかけていった。すると医療従事者や清掃員、トラック運転手、ファストフード店員など、同じ境遇の人たちから共感と支援の声が次々と寄せられたのだ。警察からの嫌がらせやアマゾンからの間接的な妨害もあったが、署名は確実に集まっていった。資金集めのためのクラウドファンディングには、全国から一〇万ドル以上が集まった。

そしてついに、その日がやってきた。

二〇二一年一〇月二五日、アマゾン労働組合は、JFK8の従業員のうち約二〇〇〇人の署名を集めきったのだ。さっそく彼らは、NLRBに署名を提出し、組合結成に向けての投票を行なうよう求めた。

ところが、これに対しアマゾン側は「署名は投票に必要な数に満たない」と主張、さらに給与表をNLRBに提出し、「署名をした者の多くはすでに退職している」とも主張した。どこかで組合結成がなされてしまえば、必ず他の倉庫の従業員にも「伝染」する。アマゾンはクリスたちより一枚も二枚も上手《うわて》で、かつこれまでで最大の力を注ぎ組合結成を阻止しようとしていた。NLRBからの提案もあり、クリスらは申請を取り下げ、より多くの署名を集め再提出することにした。

クリスらは再び従業員に組合カードへの署名を呼びかけ、二〇二一年一二月に従業員の三割以上の署名を集めた。アマゾン側は「十分な数の正当な署名があることには懐疑的」としながらも、組合結成を問う投票の実施に合意。二〇二二年三月末に投票が行なわれることとなった。結果は、従業員八三二五人のうち賛成が二六五四票、反対が二一三一票、投票異議と無効が合わせて八四票と、賛成票が上回り、ついにアマゾン労働組合は正式に承認されることとなった。クリスらは「JFK8の労働者は歴史をつくった」と勝利を宣言した。

大波乱のアラバマ州の組合結成――妨害を押し返す

スタテン島での組合結成運動と並行して二〇二〇年八月、アラバマ州ベッセマーのアマゾン倉庫労働者も、組合結成を求める従業員投票に向けて動き出していた。従業員らは「勤務状況が監視カメラなどの技術で厳格に管理され、トイレ休憩も満足に取れない」「コロナ禍での待遇が不十分」などの問題を訴えていた。

この動きを支援してきたのは、小売・卸売・百貨店労働組合（ＲＷＤＳＵ）だ。アラバマの事例は独立した労組結成ではなく、ＲＷＤＳＵへの加盟という形だが、それでもアマゾン従業員による組合が米国で初めて実現するという意味で画期的であり、全国でも注目された。

ところが、アマゾン側はここでも徹底的な妨害行動に出る。組合結成の是非を問う投票が認められると、会社側は、反対票を投じるよう呼びかけるポスターを倉庫内のトイレにまで貼った。従業員に「団体交渉は結果的に労働者の不利益につながる」などと書いたテキストメッセージを送信もした。さらに「労組（ＲＷＤＳＵ）の代表者らは組合費から毎年一〇万ドル以上を使って車を購入している」など、根拠のない批判を流しつづけた。

同時に、懐柔策もとった。従業員に最低でも時給一五ドル（同州最低賃金の二倍）の賃金を支払い、医療保険にも加入させ、「会社がこうした待遇を提供しているのに、年間五〇〇ドルの組合費を払う必要がどこにあるのか?」などと訴え、「組合費なしでやろう(Do it without dues)」をスローガンに、激しい反対キャンペーンを展開した。

従業員の投票は、コロナ禍の影響で郵便投票となったが、ここでもアマゾン側は策を仕掛ける。米郵政公社に働きかけ、倉庫の入口付近の監視カメラに映る場所にポストを設置したのだ。従業員の投票行動を会社が把握できるようにしたことで、投票の独立性・公正性が損なわれたと言える。

アラバマ州での労組結成への動きには、市場での力を強めるビッグ・テックに規制をかけようとする民主党・共和党両党の連邦議員や地方議員、メディアも注目した。スポーツ選手や俳優、ミュージシャンも次々と労組への支援を表明。バイデン大統領も、二〇二一年二月二八日に「すべての労働者は、組合に加入するための自由で公正な選択をすべきだ」と述べ、アマゾン労働組合結成に事実上の賛同を表明した。

こうして全米で注目された投票結果が、二〇二一年四月九日に公表された。

結果は驚くべきものだった。組合結成に賛成が七三八票、反対は一七九八票。アマゾン側の完勝だった。RWDSUは直ちにNLRBに対し、アマゾン側の妨害行為のせいで公正な投票がなされなかったと申し立てると、アマゾン側は「事実がねじ曲げられている」と反論。裁定はNLRBに委ねられた。

アラバマ州での敗北は、当事者たちはもちろん、多くの支援者や市民にビッグ・テックの力の大きさを痛感させた。コロナ禍でエッセンシャル・ワーカーの重要性に気づき、彼らの労働環境を改善せよと多くの人が連帯を示したが、その地平が根こそぎ壊されてしまったようなものだ。そして、これだけ卑劣な妨害行為をしつつ「顧客第一主義」を掲げるアマゾンは、今日も世界中に商品やサービスを迅速に届け、便利で快適な暮らしを私たちに提供する――。アマゾンというシステムは、耐えがたい矛盾を私たちに突きつける。

ところが、事態は思わぬ方向に転がった。

RWDSUの異議申し立てから七カ月が過ぎた一一月二九日、NLRBは労組側の主張を受け入れ、投票のやり直しを命じたのである。これは異例中の異例の判断だ。

RWDSUのスチュアート・アッペルバウム会長は、直後のプレスリリースにて次のように述べている。

「今日の決定は、私たちが長く主張してきたことを裏づけるものです。アマゾンの脅迫と妨害によって、労働者は自らの職場に組合をつくるかどうかについての公正な発言ができなくなったのです。アマゾンの労働者は職場で声を上げるべきであり、それは労働組合によってのみ得られるものです」[*6]（二〇二一年一一月二九日付）

その後、二回めの投票が二〇二二年三月に行なわれたが、結果は賛成が八七五票、反対が九九三票と僅差だった。アマゾンとRWDSUの両方から異議申し立てがされたため、三回めの投票を行なうかどうかがNLRBで検討されている。

変わる潮流——ビッグ・テックへの包囲網

スタテン島やアラバマ州の事例は、突出した個人や特定の地域による偶然の動きではない。むしろ米国で高まる労働運動のわずかなケースにすぎないと言っていいだろう。ビッグ・テックが興隆してきた二〇〇〇～二〇年の二〇年間で、市場支配は確かに強まったが、企業と労働者をめぐる力関係の潮流は確実に変わりはじめている。

米国の調査NGO「コレクティブ・アクション・イン・テック」は、「二〇二〇年は、テクノロジー分野での集団的行動が急増した『抵抗の年』」ととらえ、その運動は質・量ともに劇的に深化したと分析する。*7 二〇〇一～一〇年に米国でテック企業に対し労働者が起こした集団行動はわずか九件だった。それが二〇一一～一五年の五年間には三五件に、二〇一六～二〇年には三〇五件にも増えている（図9-1）。さらに二〇二一年と二〇二二年の二年間だけで一七二件が確認されている。

件数だけではなく、集団行動が求める内容も変化している。二〇〇一～一五年には給与や労働条件、安全性などが主要な争点だったが、二〇一六年以降は、「倫理」「差別」「企業による不当労働行為」の割合が急増している。その背景には、市場とデータの独占、租税回避、そして黒人・有色人種への差別、気候危機への対応など、企業の姿勢や社会的責任を問う動きの活

図 9-1　主に米テック企業で起きた集団行動の件数と争点

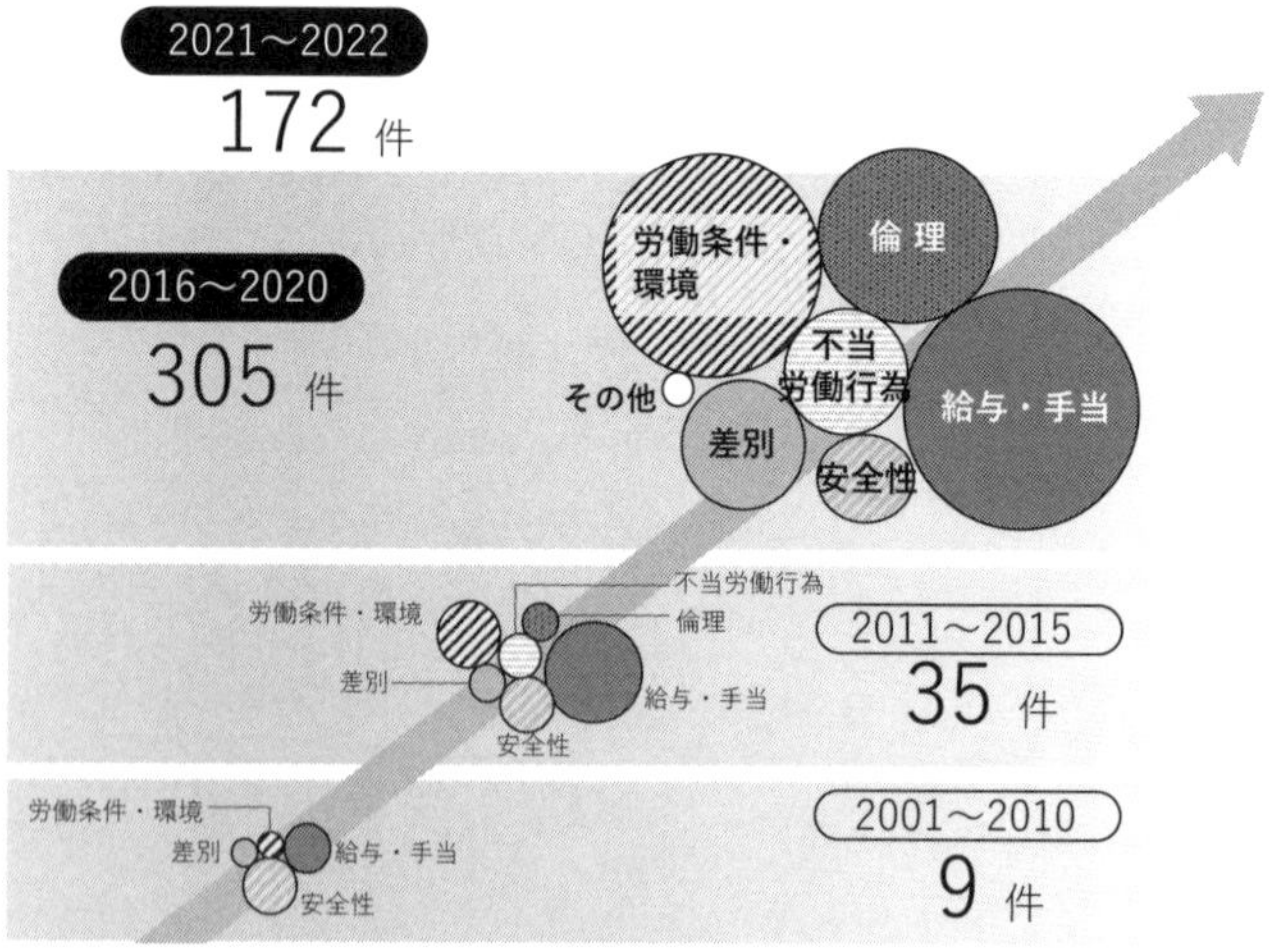

円の大きさは各期間の争点の延べ件数と対応している。
出典：Collective Action in Tech 資料より著者作成

発化がある。ブラック・ライブズ・マター運動（BLM）も大きな影響を及ぼしている。

テック企業のトップの報酬が何倍にも増えるなか、労働者の賃金の伸びは低い。コロナ禍でアマゾンは一兆ドル規模の巨大企業に成長し、ジェフ・ベゾス氏は一八〇〇億ドルもの個人資産を築いた史上初の人物となった。その一方で、倉庫従業員たちは命を危険にさらして働いているにもかかわらず、適正な給料を要求するだけで脅迫や報復にあっている。その耐えられないほどの格差、不公正さに人々は怒っているのだ。二〇二〇年の集団行動一一九件のうち四〇件がアマゾンにおけるケースで、アマゾン労働者の運動が全体を牽引していることもわかる。

他のＩＴ企業でも大きな変化が見られる。グーグルでも、人種差別やセクハラなどを告発・改善するための社員たちのグループ「真の変革のためのグーグル・ウォークアウト」が結成された。メンバーは、次のように述べる。

「現在、労働者や世界に大きな影響を与える意思決定を、ほとんど説明責任を果たさずに行なっているのは、少数の白人男性の経営陣です……この状況を変えるためには、最もリスクの高い人々に、意思決定における発言権を与えなければなりません。私たちは、システムのなかで働く人々の過ちを解決するだけでなく、システムを変える必要があります。労働者が自分たちの生活や世界に影響を与える決定に対して真に発言権を持つべき時なのです[*8]」

国境を越えて広がる包囲網

変革への動きは世界に拡散している。

二〇二〇年一一月二六日、第四木曜日のこの日の翌日は「ブラック・フライデー」と呼ばれ、アマゾンはじめ世界中の小売店・ネットショップで大規模な安売りが実施される。この日に合わせ、グローバルな抗議行動「メイク・アマゾン・ペイ（アマゾンは正当な報酬を支払え）[*9]」が世界一五カ国で行なわれた。呼びかけの中心となったのは、アイルランドの「プログレッシブ・

インターナショナル」ほか、アマゾンの倉庫労働者、国際的な労働組合や環境NGO、消費者団体など約三〇の組織だ。

コロナ禍でのアマゾンの急成長は、先進国の労働者と企業との権力差だけでなく、以前からある先進国と途上国との非対称な構造をより強化する形で生み出されたものでもある。たとえば「アマゾン・ファッション」には独自ブランドが数百もあり、売上高は三〇〇億ドルを超える。アマゾンはメーカーとしてバングラデシュ、中国、マレーシア、インド、スリランカ、ベトナムなど途上国で衣料品を生産し、世界のサプライチェーンを構築しているのだ。

カンボジアでアマゾンの衣料品生産を請け負うフル・ガーメント社が、コロナ禍で経営が行きづまり、従業員を騙して退職同意書にサインをさせた。二〇二〇年四月以降、一〇二〇人の労働者（ほとんどは女性）が、未払いの賃金と退職金の支払いをアマゾンに求めている。コロナ禍を理由にアマゾンは一方的に注文をキャンセルし、フル・ガーメント社に支払いをしていないのだ。[*10] 他国でも同様のケースが多数報告されている。彼女たちも「メイク・アマゾン・ペイ」キャンペーンに参加し、プノンペンでデモを行なった。

キャンペーンの要求は、待遇改善や安全確保、組合つぶしをやめ労働組合と交渉することなど、労働者の権利を尊重すること以外にも、多岐に渡っている。たとえば、気候危機に対応するような持続可能な経営や、各国での税逃れをやめること、市場の独占行為をやめること、さらに監視技術の開発・販売を止めることなどだ。

ギリシャの経済学者・政治家であり、キャンペーンの立ち上げにも関わるヤニス・バルファキス氏は、同社をデータサービス、アルゴリズム、政策決定を関連させる「巨大な行動修正マシン」と評する。

「アマゾンは単なる企業ではありません。単なる独占的な巨大企業でもない。それよりもはるかに大きく、はるかに悪い存在です。つまり新しいテクノ封建主義の柱なのです」[*11]

アマゾンの倉庫労働者、配達員、衣料品の工場労働者、消費者、市民はアマゾンを「強欲企業」と非難し、適正な待遇と公正なビジネスを求めている。この行動はその後も毎年一一月のブラック・フライデーに開催され、二〇二三年には三〇カ国以上で同時行動がとられた。

そして、アマゾンジャパンでも

日本でも、この国際キャンペーンに参加した労働組合がある。二〇一五年に設立された「アマゾンジャパン労働組合（東京管理職ユニオン・アマゾン支部）」だ。

米国本社の支社としてアマゾンジャパン株式会社が設置されたのは一九九八年九月。その後、二〇〇六年の会社法改正で合同会社が設立できるようになると、同社は「アマゾンジャパン合同会社」へと変更した。現在は、東京都内の本社のほか、カスタマーセンターや倉庫、ウェブ事業など全国に事業所を置いている。

「アマゾンジャパン社員からの相談が東京管理職ユニオンに届きはじめたのは二〇一三年頃です。米国とは異なり、日本では東京本社や物流センターのマネージャークラスの人からがほとんどでした」

東京管理職ユニオンの委員長であり、アマゾンジャパン労組立ち上げに尽力してきた鈴木剛氏は言う。相談事案のほとんどは「業務改善計画（ＰＩＰ）」の問題だった。ＰＩＰは二〇一三年頃から外資系企業を中心に広く導入された仕組みで、「成績不振」とみなされた社員に、課題を与えて能力を向上させるという制度だ。アマゾンでのＰＩＰは、そもそも達成困難で理不尽な課題が与えられ、できなければ退職を迫られるもので、「形を変えた退職強要」だと鈴木氏は言う。

「相談に来た人たちは、ＰＩＰで上司からダメ出しされるのですが、何を改善すればいいのかわからない。精神的にも追いつめられた人が多かった。それで団体交渉をするなかで、労働組合を設立したのです」

交渉の成果もあり、ＰＩＰ制度は一時停止されたのだが、二〇一九年になって再び相談は急増。二〇〜三〇人の事案を集中的に会社側と交渉する日々が続いた。ＰＩＰ制度の再開に加え、当時、米国を含む世界すべてのアマゾン従業員を対象に、「管理職は部下の六パーセントを必ず解雇すること」が義務化されていた。この「グローバル・ルール」が日本でも適用されたのではないかと鈴木氏は見ている。

こうしたなかアマゾンジャパンは、組合の支部長に対してＰＩＰを適用。達成困難な目標を課した後、二〇一九年一〇月に理由も示さず懲戒処分を通知した。その後、顧客データの利用や会議への参加を禁じられたうえで、再度新たな目標が課されたが、業務遂行の手段を奪われた状態の男性は当然その目標を達成することができず、二〇二一年三月に解雇を通告された。男性は解雇されるまでの間も、懲戒処分の撤回を求める労働審判を申し立て、また労組も会社側が団交拒否をしたことを東京都労働委員会に救済申し立てした。

米国本社同様、労働組合と組合員に対するアマゾンジャパンの敵視はすさまじいものがあると鈴木氏は言う。

「アマゾンには、『労働組合は、企業における生産性や利益向上にとってマイナスだ』という強い信念、思想があります。この思想は日々の組合員への対応にも反映されていて、たとえば組合員の過去の仕事上のメールをすべてチェックし、さまざまな形で『指導』してきたり、達成困難な目標を課したりしています。賃金体系も不明瞭で、合同会社であるため決算公告や株主総会を開く義務もなく、社会的な透明性は低いと言わざるをえません」

「グローバルな帝国主義」とも言える大システムを築き上げたアマゾンは、果たして持続可能なのだろうか。

「欧米では国際連帯とボトムアップの当事者主体の運動によって、単なる分配だけでなく、社会的な公正性を企業に求め、一定の成果を出しています。アマゾンは、確かにいま世界を席巻していますが、修正を余儀なくされると思います。企業も社会的存在であり、労働者や組合と協調しなければ生きていけないのです」（鈴木氏）

日本では二〇二二年に神奈川県横須賀市や長崎市で配達員が労働組合を結成する動きも起こっている。彼らはアマゾンジャパンに直接雇用されていない「個人事業主」で、同社の下請け配送会社と委託契約を結んでいる。しかし、荷物の量や配達ルートなどはアマゾンがアプリを通じて配達員に指示していることから、労組は同社が事実上の使用者で、配達員は法律上の労働者に当たると主張。アマゾンには団体交渉に応じる義務があるとして、労働環境の改善やアプリのアルゴリズムの基準開示などを求めている。二〇二三年一一月のブラック・フライデーでは彼らもメイク・アマゾン・ペイに参加し、東京のアマゾン社前でアクションを行なった。

二〇二一年四月一五日、ジェフ・ベゾス氏は、七月の退任表明前の最後の株主への年次書簡を公開した。スタテン島ではクリスらが組合結成に向けて奔走し、アラバマ州では従業員投票直後に混乱が生じていた時期である。ここでベゾス氏は、株主への「新たな約束」として、「アマゾンは『地球上で最高の雇用主』と『地球上で最も安全な職場』をめざす」と表明した。にわかには信じられないが、少なくとも「顧客第一主義」だけでは株主も納得しない時代が来た、とベゾス氏が理解したことは間違いない。

アマゾンに対しては、監視技術の開発、市場の独占と価格操作、税逃れ、ロビイストと多額の献金を使った政策への介入など、厳しい批判が高まっている。ニューヨークに設立予定だった第二本社も、住民の反対運動によって撤退を余儀なくされた。

二〇二四年三月には驚くべき展開が起こった。欧州議会がアマゾンのロビイストに対し、議会への出入りを禁止したのだ。各紙は一斉に「アマゾン、欧州でロビー活動禁止」とのニュースを報じた。禁止の理由は、同社が労働者の権利や労働条件改善への取り組みについて、欧州議会との対話を繰り返し拒否してきたというものだ。背景には、組合結成の動きや各地の倉庫でのストライキ、メイク・アマゾン・ペイなどのグローバルな運動の努力が織り重なっている。特に、欧州の労働者や市民団体が欧州議員に粘り強く働きかけてきたことの成果である。各国議会や政府に対するロビイストの果たす役割の大きさは第8章でも触れた通りだが、これまで資金力と人脈を駆使して欧州の規制政策を骨抜きにしようとしてきたアマゾンにとって、今回の「出禁」はかなり手痛いもので、労働者に対する姿勢の改善が期待されている。

負け知らずだったアマゾンという巨大なシステムを、人々はさまざまな方角から確実に包囲しつつある。

第10章

スマートシティを民主化する

——恐れぬ自治体《フィアレスシティ》の挑戦

(cc) Giulia Forsythe

カナダ・トロント市のスマートシティ計画に対し住民は疑問を提起した。議論のグラフィック記録には「誰の利益？」「誰がリスクを負う？」「同意はどこに？」などと書かれている

「グーグルによるスマートシティ」への抵抗

「トロント市はグーグルの実験用マウスではない」

二〇一九年四月一六日、カナダ自由人権協会の事務局長M・J・ブライアント氏は、トロント市で進むスマートシティ計画についてこのように厳しく評した。この日、同協会は、住民への監視強化につながるなどとして計画の撤回を求め、カナダ政府とオンタリオ州、トロント市を提訴した。

一九九〇年代後半から、世界では「スマートシティ」が推進されてきた。その定義は幅広いが、IT・デジタル技術の活用により、都市の機能やサービスを効率化・高度化し、課題解決とともに快適性や利便性を高める都市開発のあり方を指す。たとえば自動運転やドローンを用いた自動配送、カメラやセンサーによる騒音や人流の把握、医療や教育の遠隔化、行政サービスのIT化など、実装される技術は多岐に渡る。二〇〇〇年以降にはビッグ・テックはじめコンサルタントやインフラ企業なども次々と参入し、スマートシティ開発戦争は激化する。企業は政府や自治体に最新技術を用いた計画を提案し、世界にスマートシティ・ブームが訪れた。日本にもその波は押し寄せ、スマートシティに加えて国家戦略特区の枠組みのもとで「スーパーシティ」も推進されてきた。従来の法規制のもとでは導入できない技術を大胆に実装するため、かつてない規制緩和を行なうというものだ。

人口約三〇〇万を抱えるカナダ最大の都市トロント市におけるスマートシティ計画は、国際的な最先端事例として注目された。海に面し、もともとは工業地区だった地域の再開発のため、カナダ政府、オンタリオ州政府、トロント市は二〇〇一年に再開発計画事業を担う公的機関としてウォーターフロント・トロントを設立した。二〇一七年、同機関はキーサイド地区と呼ばれる約一二エーカー（約五万平方メートル）の土地の再開発計画「サイドウォーク・トロント」を発表。そのパートナー企業として選定されたのが、グーグルを擁する米・アルファベット社の傘下にあるサイドウォーク・ラボ社だった。ここから、トロント市民と行政・企業との激しい攻防が始まる。

当初からこの計画は「グーグルによるスマートシティ」と言われた。光る敷石で舗装され、瞬時にデザインが変わる街路や、時間帯によって自動走行車のための道路に切り替わる歩道、ごみは地下のダストシュートを通って捨てられるなど、技術が住民の快適な生活を約束するとされた。さらに、計画の重要な要素が「都市データの収集」だった。無数のカメラやセンサーを地域に設置し、人流や気象などのデータをリアルタイムで収集・活用することがめざされた。

ところが、トロント市とサイドウォーク・ラボ社が住民に計画を説明すると、多くの疑問や懸念が出されることになる。たとえば、「開発地区の範囲が当初の予定より大きくなるのではないか」「サイドウォーク・ラボ社の役割や権限が不明瞭だ」というものに加え、住民の懸念が最も集中したのは、収集したデータの利活用についてだった。[*1]

「サイドウォーク・ラボ社が提案する『都市データ』の定義は曖昧であり、カナダの現行法で対応可能か判断できない」「街中の監視カメラに映る通行人の情報が公共データとして取り扱われるのか」「サイドウォーク・ラボ社はデータを管理する『データ信託機関』を設立するというが、ここが行政を上回る権力を持つ危険性があるのでは？」などだ。

住民は説明会の場でこうした質問を繰り返したが、行政と企業側は明確に答えられず、計画のなかで住民のプライバシー保護や公共の利益という価値が十分検討されていないことが徐々に露呈していった。

トロント市民であり、民主主義と技術の課題に取り組む「テック・リセット・カナダ」[*2]の共同創設者でもあるビアンカ・ワイリー氏は、計画当初から最も強く懸念を訴えてきた一人だ。

「スマートシティの考え方は新しいものではありません。これは通常、未来のユートピア都市を販売するために企業によって使用されてきました。しかし現代のスマートシティは、ユートピアではなく、社会、民主主義、主権に対して現実的な挑戦をもたらしています。ほとんどの政府・自治体にはスマートシティ開発を規制する政策がなく、トロント市もそうでした。どの都市でも、データと技術は、住民の追跡や監視、プロファイリング、または利益を得る目的ではなく、地域のニーズに基づいた政策と社会正義に資するべきです。私たちのウォーターフロントは、グーグル関連会社の株主のためではなく、トロント市民の利益のために開発されなければなりません」[*3]

ワイリー氏を中心とする住民は、「ブロック・サイドウォーク（サイドウォーク社の計画を阻止せよ）」という名の運動グループを立ち上げ、自治体と企業に問題提起を続けた。最初は十数人の参加者だった運動に次々と市民が参加し、ビッグ・テックに対する草の根の住民の「反乱」として海外メディアにも取り上げられるようになる。ナオミ・クライン氏やショシャナ・ズボフ氏からも連帯のメッセージが届けられた。

住民からの疑問が尽きないなか、計画は一時棚上げになり、継続するかどうかの判断は二回も延期された。そして、二回めに設定された判断期限前の二〇二〇年五月、サイドウォーク・ラボ社は突如、計画からの撤退を表明した。コロナ禍で採算の見通しが立たず、計画を見直さざるをえないというのが理由だったが、背景に住民運動の力があったことは間違いない。

賢明《スマート》な都市《シティ》への転換

こうしてトロント市民とビッグ・テックの攻防は、企業撤退という結末を迎えた。スマートシティ推進企業やコンサルタントは驚き、住民への周知と合意形成が重要だという「教訓」を得た。何種類もの説明資料の雛形がつくられ、方法論がマニュアル化された。脚光を浴びたトロント市のスマートシティ計画は、業界にとって不名誉な「失敗事例」として記録されていくことになる。

　企業撤退をセンセーショナルに伝えたメディアも、次第にトロント市の動きを追うことをやめていった。しかし、私たちが目を向けるべきは、スマートシティ計画のその後である。企業や投資家から興味を失われた土地も、住民にとってはこれからも自分たちの暮らす地域だからだ。計画の失敗は、公共の場で技術をどのように扱うかについて、自治体と住民の間で新たな議論の扉を開いた。

　サイドウォーク・ラボ社の撤退後、ウォーターフロント・トロントは、再開発計画を「キーサイド――次世代の持続可能なコミュニティ計画（キーサイド2・0）」と名づけ、再び計画が歩みはじめる。ここで重要なのは、かつての技術導入優先や「データ利活用主義」の視点から、住民目線の暮らしの課題解決へと基本理念が大きく転換されたことだ。「地元住民が住めないほど土地の価格が上昇している状況から、あらゆる年齢、民族、宗教の人が暮らせるまちへの転換をめざす」ことが計画の中心の一つに置かれた。[*4] 住民への事前の意見聴取や議論の場も多数持たれた結果、意見は「コミュニティを計画の中心に据える」「高齢者向けのケアを充実させるモデル住宅」「手頃な価格の住宅を最優先する」「自然とのつながりを維持した街づくり」「歩行者に優しい公共交通機関の整備」「計画策定時にカナダ先住民が関与できる機会を提供する」などに収斂されていった。

　こうして二〇二二年二月に発表された新計画は、八〇〇戸の手頃な価格の住宅、約八一〇〇平方メートルの森（コミュニティ・フォレスト）、屋上農園、先住民族文化に重点を置いた新しい芸術文化施設、そして二酸化炭素排出ゼロの達成などを含むものだ。そのイメージ図には自動運転車やドローンはなく、代わりに建物のバルコニーや路頭から植物が生い茂る地域コミュニティの未来図が描かれていた。都市とは何か、人間がつくるコミュニティはどうあるべきかという哲学の変化であった。

「本当の問題は、スマートシティが技術によって都市を数値化し、制御することですべてを最適化することに重点を置いていることです。その考えに基づけば、都市の魅力そのものを根絶するように設計される危険があります。ニューヨークもローマもカイロも、そしてトロントも、効率的だからすばらしい都市なのではありません。人々は、その雑然とした雰囲気や、多様な人々が近隣に住んでいること、そこでの説得力ある偶然の相互作用に惹かれるのです」（ワイリー氏、傍点は引用者）

もちろん、トロント市の新たな開発計画のなかで、デジタル技術が否定されているわけではない。住民のなかには当初のスマートシティ計画にあったようなサービスを望む声も根強く、必要に応じて技術は積極的に取り入れられている。重要なことは、その導入を住民と行政が時間をかけて検討し、合意形成を行なっているという点だ。

北米最大の都市イノベーションハブであり、気候危機対策や持続可能な経済などの課題に資する技術支援を行なうトロント市の非営利組織「ＭａＲＳディスカバリー・ディストリクト」

代表のヤング・ウー氏は、二〇一七年以来続いてきた都市開発をめぐる「騒動」の結末を、次のように言い表す。[*5]

「開発計画の失敗を経て、トロントはスマートシティではなく賢明《スマート》な都市《シティ》になったのです」

恐れぬ自治体・バルセロナ

技術の導入に目的が偏りがちなスマートシティ計画に対し、住民の視点から技術の民主的な管理をめざすもう一つの自治体が、スペイン・バルセロナ市だ。人口約一六〇万、一〇の行政区からなる基礎自治体であり、近年はスマートシティの先進事例としても知られる。よく紹介されるのは、交通インフラとしてのスーパーブロック[*6]やスマートパーキング、市内各所に設置されたセンサーから収集したデータを管理する「センティーロ」[*7]と言われるシステム、自動のごみ収集システム、公園に設置したセンサーを通じて、気温、湿度、風、土壌状態などのデータをもとに散水、噴水、下水道システムの自動運転や遠隔操作を行なう「スマートウォーター」など数多くある。

しかし、導入された技術だけを見ていては、バルセロナ市がめざす都市のあり方を理解することはできない。重要なことは、同市がどのような哲学を持って都市を設計しているか、住民や市民がどのように参画しているのかという点だ。

バルセロナ市がスマートシティ計画に乗り出したのは、他都市よりも早い二〇〇〇年頃のことだ。初期段階では個別のプロジェクトがばらばらに進められていたが、二〇一一年、ハビエル・トリアス市長の就任をきっかけに、より総合的な取り組みへと変化した。とはいえ、その中身はＩＴ技術を活用して交通や行政・防災・エネルギーなどの都市基盤や市民の暮らしを改善しようというもので、他都市のスマートシティと大差はなく、技術優先の姿勢には批判もあったという。

スマートシティ計画が進む一方、バルセロナ市はさまざまな課題を抱えていた。二〇一〇年の欧州債務危機の影響で、貧困や格差が深刻化し、特に「住まいの貧困」が顕著に表れていた。住宅ローンを支払えない人が増え、また観光地として人気が高いバルセロナ市では、アパートの家主が住民を追い出して観光客向けの施設や民泊に転換するという動きも多発していた。いわゆる「ジェントリフィケーション」（貧困層の暮らす地域が再開発され、富裕層が流入する現象）という課題だ。さらに緊縮財政のなかでさまざまな公共サービスが縮小、民営化されていった。

人々の暮らしから遠くなった市政に抵抗する住民運動の活動家や、水道の再公営化を求める「水は命連合」という若者グループなどが合流し、二〇一四年、「バルセロナ・コモンズ」という名の市民プラットフォームが組織された。バルセロナ・コモンズは後に地域政党となるが、その最大の目的は、市政・選挙そのものを民主化し、市民参加型にすることだ。背景には既存の政党政治への不信と、国家および欧州連合という巨大な権力機構への反発があった。多様な市民や団体が何度も話し合いを重ね、選挙の際に自分たちが推す独自の候補者リストをつくるなどの取り組みを進めたのである。

こうして迎えた二〇一五年の市議会選挙で、バルセロナ・コモンズは多くの候補者を当選させ、みごと第一党の座を獲得。選挙名簿の筆頭（市長候補）であったアーダ・コラウ氏が市長の座に就いた。彼女は貧困層の住まいの権利を実現する活動に長く関わってきた。市民参加型の選挙で、四〇代の女性の活動家が市長に就くという、まさに画期的な選挙結果であった。四年後の二〇一九年市議会選挙でも、カタロニア独立党と同数の議席を獲得し二期めを務めた。

バルセロナ・コモンズ市政は多くの政策を実現してきた。たとえば大手不動産企業に対して、「二年以上、空き家になっていて人に貸していなければ、市場価格の五〇パーセントの額で市が収用する」という条例をつくった。空き家が投機対象になることを規制し、市民の住まいを増やすための措置だ。市立保育園や公営住宅の増設、水道はじめ公共サービスの再公営化、自然エネルギーを供給する公営企業「バルセロナ・エネルギー」の設立も実現した。

もう一つ、バルセロナ市政の変革が国際的に大きな影響をもたらしたのが、「フィアレスシティ（恐れぬ自治体）」のネットワークづくりだ。

どの国の自治体も、政策的にも財政的にも、国家によってがんじがらめになっている。グローバル経済の進展のなかで大企業や投資家からの圧力も受けている。欧州の場合、さらにこの上にEUという巨大権力機構が加わり、自治体の政策スペースはかなり限定的だ。こうした構造のなかで、住民の暮らしを優先する政治を行なうためには、自治体は国家や大企業に抵抗していかなければならない。この問題意識は、まさにバルセロナ・コモンズがめざすところとも一致していた。

そこで二〇一六年、バルセロナ市は国家や大企業を「恐れない」自治体の国際ネットワークを呼びかけ、翌年六月に第一回の会合が同市で開催された。[*8] ここには五大陸から四〇カ国、一八〇以上の自治体が参加し、経験の共有や戦略についての議論を行なった。

バルセロナには、デジタル資本主義やプラットフォーム企業による独占に、市民が抵抗してきた経験もある。アプリを使った配車サービスを行なうウーバーやキャビファイなどのグローバル企業が、バルセロナ市でもビジネスを展開しようとした際、これら企業への許認可や営業可能台数規制の緩和が議論された。これに抗議する地元のタクシー組合は、二〇一八年八月、「反ウーバー」の無期限ストライキに入ったのだ。三〇〇〇人以上のタクシー運転手が参加し、中心地区の大通りは、黄色と黒の地元タクシーで埋め尽くされた。結果的に、バルセロナ市議会は、配車アプリそのものは禁止しないものの、新規参入の規制緩和はしないと判断。ウーバーもキャビファイもバルセロナ市から撤退を表明してタクシー組合側が勝利した。

さらにバルセロナ市は二〇二三年、アマゾンのような大手宅配業者に独自に課税するための地方税を可決した。これは「アマゾン税」と呼ばれ国際的にも注目される。どの国・地域でもアマゾンの進出は、地元の商店、とりわけ小規模店に打撃を与えている。巨大ビジネスから地域経済を守るための措置だ。同時に、町のいたるところで自動車の交通量と二酸化炭素排出量を増加させているアマゾンの宅配を規制することは、気候危機対策としても有効である。これらはまさに大資本と闘う「恐れぬ自治体」の政策として注目すべきだろう。

市民が市政に参加するためのプラットフォーム

バルセロナ・コモンズによる市政の誕生は、スマートシティ計画にも大きな影響を及ぼした。二〇一五年、コラウ新市長は、技術導入に重点が置かれていた計画の目標を根本から変えた。「スマートシティのインフラを民主化する」というゴールを掲げたのだ。

長年、バルセロナ市情報局の職員としてスマートシティ計画に関わり、同局の社会的知識室の室長であるジョルディ・シレラ氏は次のように語っている。

「コラウ市長が就任し、技術を中心に考えるのではなく、市民を中心に据え、その周りに技術があることが理想と考えるようになりました。私たちは市民のために働いているのですから、それは政治的に正しいアプローチです」

バルセロナのスマートシティを考える際、個別に導入される技術の前提となる、基礎的なインフラや仕組みについて知ることが重要だ。いわばどのような「都市ＯＳ」が最初に敷かれているのか、という点だ。これが誰のために、どのような方向を向いているのかが、スマートシティ全体の性格を決定的に運命づけると言ってもよい。

コラウ市長はまず、バルセロナ市の最高技術責任者として、社会イノベーションを専門とし、国連や欧州委員会のアドバイザーを務めた経験のあるフランチェスカ・ブリア氏を任命した。コラウ市長とブリア氏が最初に取り組んだのが、市民が市政に参加するためのプラットフォームづくりだった。これは、「デシディム」（カタルーニャ語で「私たちが決める」の意味）というデジタル参加型プラットフォームだ。市民は、市のウェブサイト上にあるデシディムにアクセスし、さまざまな提案ができる。提案に対してはグループディスカッションを組織したり、賛成・反対の意思表示をしたりもできる。提案を政策提言に練り上げるために必要な各種データも、データベースから簡単に閲覧できるようになっている。

こうして市民によって練られた提案は、最終的に市議会に提案され、議論される。市議会での議論もデシディム上で詳しくチェックできるため、自分たちが出したアイデアがどのように自分たちに返ってくるのか、すべてのプロセスが可視化されている。

たとえば、ある市民は、「市内のビルの屋上に農園をつくれば、市内の緑化にもつながるし、食べ物を自分たちでつくることができる」と提案した。賛否を含めて多くの反応が市民からあり、議論の末に正式な提案として市議会に諮られることになった。その結果、市内の複数のビルの屋上に農園がつくられることとなった。

この他にも、新たなホテルの許認可をめぐる問題や、路面電車の建設についてなど、住民たちにとって見逃せない、生活に直結する議題が数多く議論された。テーマの上位を占めるのは、手頃な価格の住宅、持続可能なエネルギーへの移行、大気汚染の改善、公園など公共スペースの拡充などだ。

　ここでポイントとなるのが、市民からの提案を実現するための予算だ。すでに年単位で決められている予算を、市民の提案に途中で付け替えることは難しい。だがバルセロナ市は、「参加型予算」という仕組みを持っている。市の予算のうち一定の金額を参加型予算としてあらかじめ確保しておき、市民が提案する政策に配分していくというものだ。欧州の自治体では参加型予算が広がっており、充てられる予算は少ないとしても、住民の参加と自治の意識を高める仕組みとして高い効果を出しているところが多い。

　バルセロナ市では、二〇一五年からの四年間で四万人以上がデシディムを通じて意見提案や議論への参加をし、一万件以上の提案が出された。そのうち約一五〇〇件もの提案が市議会で採択されている。

　デシディムの政策効果は国際的にも高く評価され、各地で同じシステムの導入が始まっている（システムはすべてオープンソースで、無料で提供されている）。日本でも、二〇二〇年一〇月末、兵庫県加古川市がスマートシティ計画の一環として、デシディムを使った「市民参加型合意形成プラットフォーム　加古川市版デシディム」を立ち上げた。また横浜市の一部地域でもデシディムが実証実験的に運用されている（二〇二〇年一二月〜二〇二一年三月）。

これらの事例に限らず、スマートシティを含む都市開発では、成功事例で使われた技術を導入することがよく見受けられる。しかし、やはりバルセロナ市での成功の鍵は、ボトムアップの参加型予算という仕組みであり、また徹底して市民の生活を優先させるというバルセロナ・コモンズによる政治哲学だろう。バルセロナ・コモンズはオンライン上だけでなく、各コミュニティの集会に議員・市長が必ず参加し、住民の要望や苦情を直接聞いてきた。こうした日常の活動から生まれる住民と市政・議会との信頼関係がなければ、いくら提案をしてほしいといっても住民にとっては他人事だろう。予算の裏づけがなければ、意見も「言いっぱなし」となりかねない。

プライバシー保護とデータ・コモンズ

もう一つ、バルセロナ市が主導するのが、ビッグ・テックを規制する方向性と軌を一にした、自治体による「技術主権」と「データ・コモンズ」を求める動きだ（図10-1参照）。

自治体は、住民と最も近い行政府として、さまざまなデータを収集し、管理している。スマートシティ計画のなかでも、住民の暮らしに密着したデータの収集と利活用が推進されている。一方、住民の側には、自分の個人データがどのように収集され使用されるかが不明瞭との

図 10-1　自治体で実現可能な技術主権とデータ・コモンズの取り組み

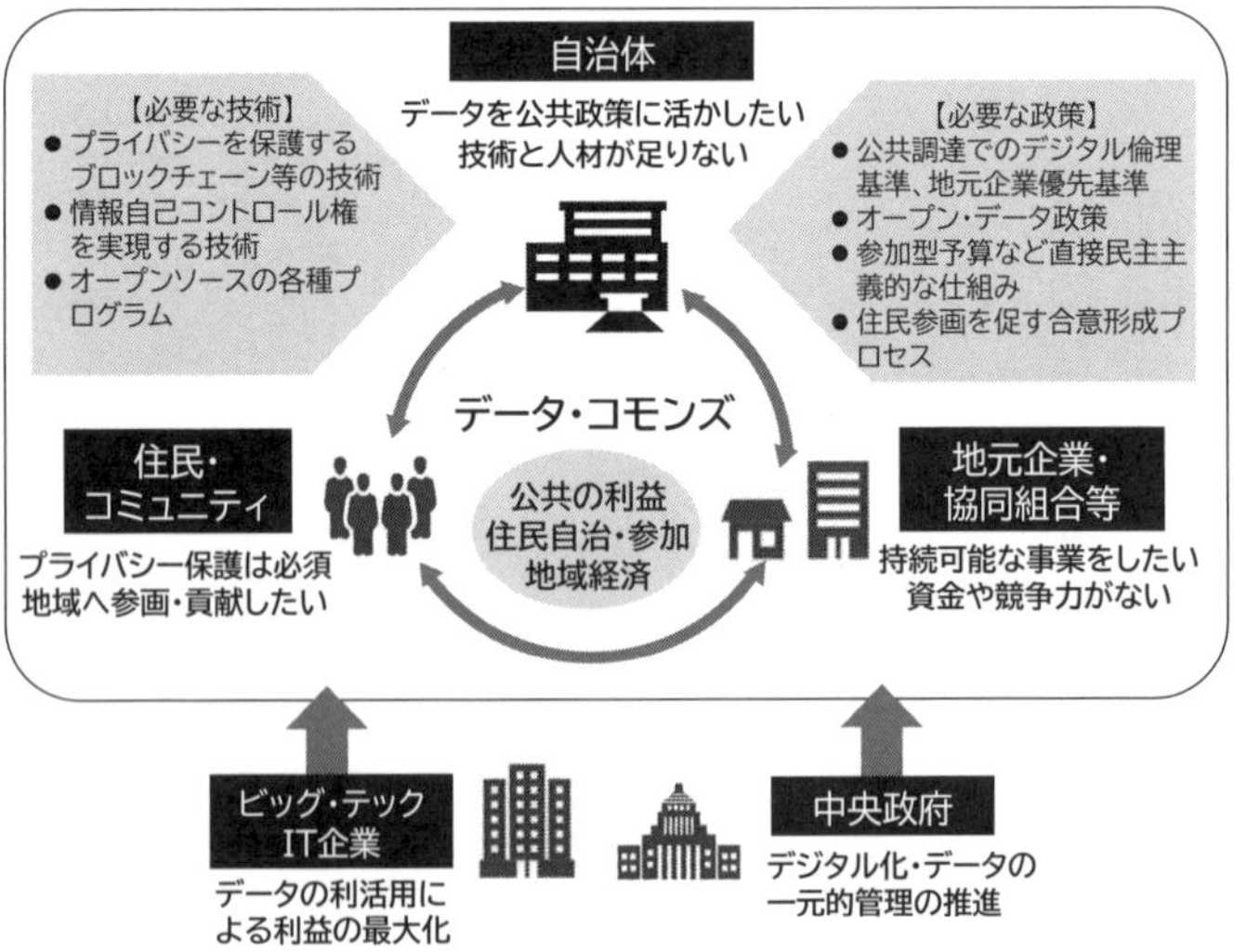

出典：著者作成

懸念や、そのプロセスについて意見を言う機会が限られていることへの不満がある。また自治体の側にも、スマートシティ計画などの都市開発の際、信頼性のある技術をどのように導入すればよいか、その説明責任をどう住民に果たせばよいかについて戸惑い、模索するケースが多くある。特に、企業にデータ収集システムの開発や運用を委託する際、技術仕様やアルゴリズムなどが「企業の営業秘密」として開示されない場合には、自治体が守るべき個人のプライバシーや「公共の利益」は本当に担保されるのか、など多くの論点がある。

一方、二〇〇〇年代からＥＵも

「データ・コモンズ」というあり方を検討してきた。プライバシー保護のため規制で企業を縛ると同時に、個人に関するデータを「商品」としてではなく、個人と社会に大きな利益をもたらす「共有財＝データ・コモンズ」としてとらえ、透明性と説明責任を担保しつつ安全に利用するという価値への転換である。

その代表的な事例が、ＥＵの「デコード（ＤＥＣＯＤＥ、市民が所有する分散型データエコシステム）」の取り組みである。一言でいえば、オンライン上で生成される個人情報の蓄積・管理・運用に関して、市民自らが個人データの秘匿や共有をコントロールできるようにする仕組みだ。ここでは、ブロックチェーンや暗号化などの技術を用い、個人が自分自身のデータについて「誰に対し、どのような目的・条件であれば共有する」あるいは「非公開にする」のかを細かく制御できるツールが開発され、実装される。たとえば、自分の移動データについて、公共交通機関には開示するが、保険会社や広告会社には非開示にするというように、自分の意思によって選択できる。その際の大原則は、「個人データは企業や政府のものではなく、それを持つ人自身のものである」という思想だ。

このプロジェクトは、ＥＵのホライズン２０２０（研究・技術開発資金助成計画）から五〇〇万ユーロの資金支援を受け、二〇一七〜一九年に実施された。参加したのは、ＥＵ六カ国と一四のパートナー機関などで、実証実験の舞台となったのは、バルセロナ市とオランダのアムステルダム市だった。

ＥＵがこうしたプロジェクトに力を注ぐ背景には、いくつかの理由がある。まず、監視資本主義や国家権力によるデータの掌握に対する危機感から、積極的に「データ主権」を打ち出す必要性だ。すでにＥＵではＧＤＰＲなど個人情報を守るための法整備が進んでいるが、さらに踏み込んで、「個人情報の主権は個人に戻すべき」という原則を徹底させるというものだ。次に、ＥＵ産業界からの要請もある。ビッグ・テック企業はほぼすべてが米国、そして中国の企業であり、欧州には同様のグローバル企業は存在していない。欧州ではビッグ・テックによる市場の寡占や有害なビジネスモデルへの警戒感が強まっているが、裏を返せば、ビッグ・テックに代わるような倫理的なビジネスモデルを新たに生み出すことで、長期的にはグローバル市場でＥＵ企業が優位に立てる、というビジョンだ。「適正に処理・保護されたデータを使い、新たなビジネスにつなげたい」という意図である。

こうした経過のうえで、バルセロナ市はアムステルダム市とともにデコードの実証実験都市となった。先述の市民参加型プラットフォームのデシディムには、街の騒音レベルから医療データ、行政のオープンデータまで、さまざまなデータが集約されている。ここにデコードを組み込めば、市民が特定の目的のための情報利用を制御することができる。たとえば市への請願等を出す際、市民は規約で求められる居住場所の情報のみを提供し、匿名で請願を出すことが可能になるといった具合だ。

もう一つ、バルセロナ市には先進的な取り組みがある。ＩＴ企業などと市が契約を結ぶ場合、公共調達契約のなかに「倫理的なデジタル基準[*9]」を導入する動きだ。バルセロナ市議会は、年間約六億ユーロ（市予算のほぼ二五パーセント）の契約予算を持っているが、そのうちたとえばプロバイダーについては民間企業が入札を行なって決めている。その際、倫理的デジタル基準のなかにある「革新的な公共調達ガイド」には、たとえば「プロバイダーはサービスを提供するために収集した公共的な価値があるあらゆるデータを、機械可読な形で市議会に返却すること」という条項が盛り込まれている。これは、公共調達という自治体の力を最大限活用し、導入する技術を倫理的で透明性の高いものにする試みだ。同時に、自治体が技術主権を持ち、データ・コモンズを開発・運用する能力を高めることにもつながる。デジタル時代における技術やデータに関する「新たな社会契約」の体系を構築するという野心的な取り組みでもある。

他方、この道のりは決して簡単なものではない。市民が自分自身の情報をコントロールするためには、リテラシーや技術への理解が必要となる。多少のリスクがあるとはわかりつつも、便利で快適なデジタル社会で行政サービスや消費を享受しているほうが楽に違いない。しかし、バルセロナ市などの「恐れぬ自治体」は、デジタル資本主義を適切に規制し、安全で公共性の高い空間を広げるため日々努力している。

バルセロナ市最高技術責任者のブリア氏は、「テクノロジーの世界では、シリコンバレーの監視資本主義や、ディストピア的な中国のモデルとは異なる物語を提唱することが非常に重要です。私たちは欧州をリードして、代替モデルを提唱したいのです」と語っている。

スマートシティを人々の手で民主化する

世界の多くの都市や自治体は、大きな課題に直面している。住民のプライバシーを保護しつつ、データ・コモンズに代表されるような責任あるイノベーションをどう生み出すか、企業主導で技術導入を優先する都市開発ではなく、住民の暮らしや民主主義に資するための街づくりをどのように実行するか、その際に住民の意思や意見をどのように反映させるのか――多くの自治体が悩み、手探りをする。そんななか、参考となる事例がいくつも生まれている。ここではそれを紹介しつつ、重要な変革のポイントに触れる。

◆市民の参加型データ収集によるパワーシフト――英国ブリストル

ロンドンから西に約一七〇キロ離れた港湾都市ブリストル市では、デジタル産業が拡大しており、近年では英国のスマートシティ指数（二〇一六年）で上位二都市にも選ばれている。従来通りのスマートシティ計画が導入されているが、市の当局者や住民、市民団体などは、デジタル技術が必ずしも住民の生活ニーズに対応しないことに気づいていた。

二〇一五年、ブリストル市は市内の非営利組織「ノウルウェスト・メディア・センター」[*10]とデジタル戦略コンサルタント「アイデア・フォー・チェンジ」[*11]と協力し、「参加型市民センシング（検出）」というプロジェクトを立ち上げた。地域住民のニーズをイノベーションの中心に置く取り組みだ。

まず地域住民に参加を呼びかけ、三カ月かけて何度も集まりを持って、日常生活や地域の課題などを自由に会話してもらう。その後、課題をいくつかのテーマに分け、それぞれに関心のある地域住民がグループを形成。さらに三カ月ほど議論を進めた。これは住民の「ホットスポット」（最も関心の高い話題）を探るプロセスと言われる。ブリストル市民のホットスポットは、「家の湿気」だった。キッチンや洗面所、浴室のカビや壁の腐敗などに悩む住民は多く、家主に対策を求めても「使い方が悪いからだ」と拒否され我慢を強いられているケースが多かったという。

そこでプロジェクトチームは、住民自身が屋内の温度、湿度、露点などを計測し、シャワー、料理、洗濯など、湿気につながる可能性のある出来事を日記に記録することを考えた。ユニークな点は、プロジェクトには技術の専門家だけでなく市内のデザイナーや映像作家などのクリエイターが加わっていたことだ。彼らは参加型センシングのためにカエルの形の計測器をつくった（カエルは湿気が大好きという遊び心からだ）。カエルの背中にはコンピュータに接続されたセンサーがあり、五分ごとに数値が収集されデータベースに保存されていく。カエル計測器を見た住民たちは大喜びで、ともすれば退屈な計測・記録の作業もカエルのおかげで実に楽しい時間になったという。

こうして住民自身が生成したデータは一元的にまとめられ、住民も参加して分析がなされた。その結果、住民はもちろん議会や市当局も、どのような状況が湿気を発生させ、どのように対応するのが最善かを、よりよく理解することができた。住人の使い方のせいではなく、家の構造上の問題から湿気が発生する場合には、家主に対して補修を要求することも可能になった。参加型センシングによって集めたデータが住民や行政、議会に可視化され、共有財＝データ・コモンズとなったおかげで、住民がエンパワーされ、従来の家主との関係性を変革できたのだ。プロジェクトを担ったアイデア・フォー・チェンジの最高経営責任者であるマラ・バレスティーニ氏は次のように語っている。

「パートナーであるブリストル市とノウルウェスト・メディア・センターは、『ボトムアップで人々に力を与えるような方法をとるためにはどうしたらよいか？』と私たちに尋ねました。家主は責任を取りたがらないなか、私たちはデータを公表すればその権力構造を変えられることが実証できると思ったのです。またこのプロジェクトは、地域コミュニティの人々が団結し、新しい技術やデータのリテラシーを学ぶのにも役立ちました」[*12]

ブリストル市の事例はとても小さくシンプルな取り組みだが、データや技術によるパワーシフト（権力性の変革）の根源的な要素が含まれ、技術は誰のためにあるのかを明快に私たちに伝える。このような市民参加型センシングの取り組みは、後に「ブリストル・アプローチ」と名づけられ、他の自治体でも実践されている。

◆スマートシティ企業に要求を突きつける——米国ボストン

「これまでボストン市で実施された多くのスマートシティに関する試験的なプロジェクトは、華やかなプレゼンテーションに終わるばかりで、みな肩をすくめてきました。次に何をすればいいのか、技術やデータがどのようにして新しいサービスや改善につながるのか、誰も本当はわかっていないのです。私たちはそれを変えたいのです」[*13]

米国マサチューセッツ州ボストン市は、市民参加とオープンデータによって地域課題を解決する自治体として知られる。ハーバード大学、マサチューセッツ工科大学、ボストン大学、タフツ大学など名だたる大学があり、ＩＴ関連のスタートアップ企業が続々と生まれ、いわゆる産学連携が推進されている都市だ。ボストン市もスマートシティ開発企業や研究機関に協力的で、市にはボストン市長新都市機構室や技術革新部門が設置され、最高情報責任者のポストが設けられた。新たな技術を実装する場としての市には、企業や研究者からの提案が常に持ち込まれていた。

しかし最高情報責任者のジャシャ・フランクリン＝ホッジ氏はじめ市の職員たちは、スマートシティ計画とそれを提案してくる開発者・企業とのやりとりに疑問を抱いていた。企業は新しい技術導入によって効率的に地域の課題が解決できる、あるいはコストが削減できるという点ばかりを売り込んでくる。だが市の職員は、技術が公的な価値にどう結びつくのか、地域の人たちをどのように参画させていくのか、そして多様な住民間の対立関係や利害関係を調整しなければならない。両者の立場と目的には明らかにギャップがあった。地域の課題を深く知ることもなく「この技術を購入すればあらゆる課題が解決できます」と言わんばかりの企業の誇大な「売り込み」に、職員は半ば辟易していたのだ。

そこで二〇一六年、フランクリン＝ホッジ氏はじめ技術革新部門の職員たちは、「ボストン・スマートシティ・プレイブック」というガイドラインを作成し、企業や技術者に向け公表した。冒頭で紹介したのはプレイブックの紹介文だが、それは次のように続く。

「このプレイブックは、『スマートシティ』コミュニティを構成している技術企業、科学者、研究者、ジャーナリスト、そして活動家に向けたものです。私たちの見解に耳を傾けてもらう代わりに、ボストン市は、私たちの課題への解決策がなかったとしても文句は言いません。私たちはみなさんの新しいアイデアの実験を支援する方法を見つけたいのと同時に、私たちのフィードバックに対して真摯になっていただきたいと願っているのです。私たちの目標は、人間が中心で、問題解決型で、そして責任ある技術の使用に関する市全体の戦略を策定することです」

プレイブックの内容は、実にシンプルで痛快なメッセージだ。いくつか抜粋して紹介しよう。

1. 営業の人をよこさないでください

私たちは毎日「IoT」ベンダーから電話を受けており、営業の人と話すのに本当にうんざりしています。あなたの側は、技術を導入する準備は万端なのかもしれませんが、私たちにはそれを購入し市のすべてに実装する準備はできていません。ですから、都市について詳しい人、職員と同じ姿勢になれる人、ボストンの好きなところ（嫌いなところも！）について住民と話したい人を私たちのところに送ってください。

2. 実際の課題を、実際の人々のために解決しよう

ありふれた言葉のように聞こえるでしょうが、このことがおろそかにされています。私たちに電話する前に、路上の人々、地元企業、アーティスト、建築家やプランナー、権利擁護団体の人たちと会って話してください。彼・彼女らのニーズと経験に基づいて設計したことを私たちに示してください。

3. 効率を崇拝しないでください

私たちは、ボストン市が市民テクノロジーと市民イノベーションの最先端であることを誇りに思っています。しかしそれは、公的支出を単に安くすることだけではなく、人々にとって行政が何を意味するのかを私たちが絶えず再考しているからです。ですから、行政をより美しく、楽しく、感情的に共鳴させ、より思慮深く、楽しく交流できるようにするため、単なるコスト削減ではない方法を教えてください。

（「ボストン・スマートシティ・プレイブック」より）

ブリストル市と同様に、ボストン市も従来の自治体とＩＴ企業の関係性を変え（パワーシフト）、技術を民主化しようとする。スマートシティの分野に限らず、ボストン市はボトムアップ型の市民参画のための政策を数多く取り入れている。その一つが、バルセロナ市の事例でも触れた参加型予算だ。たとえば、若者による参加型予算「ユース・リード・チェンジ」は、一二～二五歳の子ども・若者が議論して市の予算一〇〇万ドルの使い道を決める。決定された使途はボストン市の正式な調達プロセスにおいて採用され、実現されることになっている。この他にも市は、ボトムアップ型のシビック・テックの支援も行なう。日本でも多くの自治体へのスマートシティや自治体ＤＸのセールス競争が激しいが、このプレイブックに書かれた内容を、自治体職員から企業やコンサルタントに投げかけてみてはどうだろうか。

グローバルに広がる自治体ネットワーク

二〇一八年一一月、バルセロナ市、アムステルダム市、ニューヨーク市が協力して「デジタルの権利のための都市連合」[*14]が設立された。現在、世界の五〇以上の自治体が加わっている（日本からはゼロ）。国連人間居住計画や世界都市・自治体連合[*15]なども協力している。スマートシティを含む都市のデジタル化は、先進国だけでなく途上国・新興国にも広がっている。その利点もある一方、地域経済の破壊や労働環境・産業構造を歪める懸念、すでにある貧困・格差の増大など、デジタル化が逆に悪影響を与える危険もある。そのため近年、国連機関もスマートシティや都市のデジタル戦略について調査や提言を行なっているのだ。

デジタルの権利のための都市連合は、以下の五つの原則を掲げ、人権を中心に据えた都市のデジタル環境を促進するための法的・倫理的な枠組みをつくることをめざす。

1. インターネットへの普遍的かつ平等なアクセスとデジタル・リテラシー
2. プライバシー、データ保護、セキュリティ
3. データ、コンテンツ、アルゴリズムの透明性、説明責任、および無差別性
4. 参加型民主主義、多様性と包括性
5. オープンで倫理的なデジタル・サービス標準

自治体におけるデジタル化の本来の目的は、行政の透明性の向上と住民参加の推進による、自治と民主主義の深化であるべきだ。当然、住民の基本的権利を侵害する技術は導入してはならない。こうした点を基本に置けば、必然的に、倫理的技術の導入やプライバシーの保護、オープン・ガバメント化や「データ・コモンズ」の活用が基本となるし、住民参加型の政策立案や参加型予算など、より直接民主主義的なアプローチの実験、有害な技術（生体認識技術など）の禁止も求められる。さらに、監視資本主義のもとでのデータ・マイニングとその悪用から住

民のデータを守る戦略も必要となってくるだろう。これらは一つの自治体だけでは解決することが困難であるため、自治体は横につながり、経験や技術の交流を行なっている。ここでは私有化された高額なプログラムではなく、無償で共有可能なものが推奨されている。技術の主権、技術の民主化をめざす各地の取り組みは、スマートシティを賢明な都市《スマートシティ》へと変革する道へと向かっている。

第11章

民主主義という希望

© Fight for the Future

二〇二三年七月、ニューヨークでのアマゾン社技術展示会で、アマゾンやグーグルの社員たちが「アマゾンとグーグルはパレスチナ人虐殺に加担する技術をイスラエルに販売するな！」と訴えた

私たちが生きる世界の現実

二〇二二年夏、ビッグ・テックによる根深い支配の現実を突きつけるような二つのニュースが舞い込んできた。

一つは八月上旬、米国ネブラスカ州で、飲み薬を使って中絶したと見られる一八歳のセレスティ・バージェス氏と、その母親ジェシカ・バージェス氏が複数の罪で訴追された事件だ。逮捕の決め手になったのは、フェイスブック・メッセンジャーでの二人のやりとりだった。同州では、妊婦の命が危機にさらされている場合を除き、妊娠二〇週以降の中絶は違法とされている。警察は二〇二二年四月末、当時一七歳だったセレスティが流産し、遺体を埋めたという内密情報を得た。警察は彼女の診療記録を入手して、妊娠二三週め過ぎに当たることを確認。彼女と母親を取り調べると、二人は「死産であり、胎児は自分たちで埋めた」と供述した。この過程で警察は、死産したとされる夜に、セレスティがフェイスブックのメッセンジャーを使って母親とやりとりをしたことに気づいた。メタ（旧フェイスブック）に捜査令状を発行し、二人のアカウント情報の提出を求めると、同社は二人のメッセンジャーや検索履歴などの個人情報を提供した。そこには、「今日、(中絶薬を)飲む?」「証拠を燃やすのを忘れないで」などの生々しいやりとりがあった。

中絶をめぐっては、全米を分断する論争となっていることは周知の通りだが、この事件によって、SNS上の個人情報が中絶禁止法の執行に利用されかねないこと、企業が法執行機関にどのように協力するのかという現実が浮き彫りになり、大きな論争が引き起こされた。*1

もう一つの事件は、グーグルに関するものだ。

サンフランシスコ市に住む専業主夫のマークは、二〇二一年二月、幼児である息子のペニスが腫れ、痛がっていることに気づいた。コロナ禍の最中で、医療機関にかかるのも容易ではない。マークは症状を医師に説明するための記録として、スマートフォンで息子の患部の写真を撮った。その後、病院の予約を取った際、看護師は事前確認のためその写真をメールで送るようにマークに指示した。診察後に息子の症状は無事回復した。

しかし、父親であるマークの厄難はここから始まる。

写真を送信してから二日後、彼のスマートフォンに「グーグルのポリシーに著しく違反し、違法である可能性があります」との警告が届いた。そして、「有害コンテンツ」をやりとりしたとしてアカウントが無効化された。不可解に思っているうちに、すべてのグーグル・アプリの利用許可が止められた。そう、彼は「児童ポルノ写真を送信した」との嫌疑がかけられたのだ。

長年蓄積した連絡先、メール、家族の写真を失い、彼は警察の捜査対象になった。送信先は医師であり、AIの判定ミスだとグーグルに説明しても、アカウントが回復する目途はない。それまで何の問題も感じず利用してきたが、仕事や生活に大きな支障をきたして初めて巨大企業の力を思い知らされた。*2

ビッグ・テックが構築してきた堅牢な世界について、私たちは時折このように小さな綻《ほころ》びからその実態をのぞき込む。彼らがどのように私たちのデータを収集し、蓄積し、取り扱っているのか――。彼らと私たちの力関係の非対称性と透明性の欠如を目の当たりにした時、あなたはどのように反応するだろうか。自分には関係ない些細な出来事？　指摘したところでどうにもならない問題？　それとも未来の大惨事を警告する炭鉱のカナリア？　いずれにしても、これらの断片は、私たちが生きる巨大なシステムを構成している「現実」であることは間違いない。

闘いの相手は誰か

「この二〇年間、民主主義は、われわれの重要な情報通信の空間を、監視資本主義の帝国へと成長した私企業に譲り渡してきました。これは民主主義の自虐行為でした。特に私の愛する国、米国でそれは起こりました。私たちは、意識的に、自主的に、これらの空間のルール、規範、価値を設定し、管理する支配権を民間資本に与えてきました。その結果、反民主的な監視経済学の制度的秩序ができあがりました。単に『前例がなかった』というだけの理由で、われわれは彼らに『無法地帯』を与え、自由を謳歌させてきたのです」

二〇二二年四月、ハーバード・ビジネススクールのショシャナ・ズボフ教授は、欧州でのデジタル規制に関するセミナーでこう語った[*3]。教授の著書『監視資本主義』は、私たちの生きる世界の「断片」を統合し、大きな構図として描き出した。

監視資本主義とは、日常生活のあらゆる領域でデジタルと人間の関わりを事実上すべて仲介するグローバルな制度的秩序である。ビッグ・テックとそのエコシステムは、今やすべての人々に関するすべてのデータを所有していると言っていい。そればかりか、ケーブル、コンピュータ、クラウド、科学者までも所有する。さらに、ＡＩや機械学習による知識生産の世界市場も独占する。「何が知識になるのか」「誰がそれを知っているのか」「何のために知識を得るのか」、すべてを決定するのは私たちでなく、彼らである。監視資本主義において、私たちは「顧客」でないことはもちろん、「利用者」ですらない。彼らの顧客は広告主や政府機関であり、私たちは巨大なシステムにデータを提供する「素材」でしかない。

監視に基づくターゲティングは、オンライン広告に革命をもたらした。私たちの属性や好み、購買履歴、友人関係などの膨大なデータによって、私たちの次なる行動は予測される。データが多ければ多いほど精密な予測が可能となり、企業の収益は増す。今や、教育、医療、金融、自動車、農業、物流、そしてその間にあるすべての経済活動の領域は、この秩序のもと再編成されつつある。「スマート」製品も「パーソナライズ」された各種サービスも、監視資本主義体制の一部である。このシステムは私たちの関与を求めるが、何が私たちに関与しているかは見えないように設計されている。

民主主義との関係で指摘しておくべきは、メディアの問題だ。米国のピュー研究所は、すでに二〇一一年の年次報告書「ニュース・メディアの現状」[*4]にて、「変化する大衆の行動を理解し、各ユーザーの関心にぴったりと合うコンテンツやターゲティング広告を提供できる者が、未来を手に入れるだろう。メディアが収集し提供してきた専門知識は、ジャーナリズムの外にあるＩＴ企業にますます多く存在するようになる」と分析していた。この予測通り、ビッグ・テックは、ジャーナリストからの「介入」を排し、私たちの言論を公的な法律や専門的な規則・規範などの制度的なゾーンから、事実と虚偽の区別が付かない監視資本主義のゾーンへと押しやろうとしてきた。偽情報やフェイクニュースが横行し、コンテンツと広告の境のないネット空間のことだ。「このような状況で民主主義が生き残れるわけがない」とズボフ教授は言う。

カナダのクイーンズ大学教授で、監視文化の研究で知られるデイヴィッド・ライアン教授[*5]は、私たちは監視文化を受け入れ、歓迎し、監視文化の担い手として加担してきたと指摘する。便利なアマゾン、友人や恋人の日常を逐一チェックできてしまうフェイスブック、あらゆるアプリを提供してくれるグーグル――。これらに慣れ親しむうちに、私たちは批判的態度を削がれ、「技術の中立性」という神話に酔わされ、監視資本主義の世界の住人になってきた。それが支配的・従属的な関係だとしても、抵抗や脱出は簡単ではない。

しかしそれでも、私たちは立ち止まり、もう一度問うてみなければならない。「私たちはどのような世界に生きたいのか。そしてどのような未来にしたいのか」と。

反撃はいつも人々が生きる場から

「顔認証技術が監視の手段として利用されることで、差別的な取り締まりが助長され、自由で安全な集会が脅かされています。ニューヨーク市警察が、ブラック・ライブズ・マター（BLM）のデモ隊を監視したのは誤りであり、その証拠を隠したのも誤りです」[*6]（「監視技術の監視プロジェクト」事務局長、アルバート・フォックス・カーン氏）

二〇二二年七月二九日、米国ニューヨーク州第一審裁判所で画期的な判決が出された。

ニューヨーク市警察は長年にわたり、BLMをはじめとする黒人・有色人種によるデモの様子を監視カメラやドローンなど最新技術を用いて取得し、捜査に利用してきた（第1章参照）。同市警察は、顔認識ソフトウェアの開発・販売企業として躍進したクリアビューAI社から、携帯サイトシミュレーター、歩行認識ソフトウェア、X線バンなど広範囲の監視ツールを購入していることが明らかになっている。

監視技術企業と警察権力の「連携」によって、多くの市民が不当な逮捕や拘留、日常的な人権侵害にさらされ、特にその矛先は有色人種の人々に向けられてきた。これに対し、ニューヨークを拠点に活動する市民組織「監視技術の監視プロジェクト」[*7]とアムネスティ・インターナショナルは、監視技術の乱用阻止を求める運動を展開してきた。

二〇二〇年九月、両団体はデモ参加者への監視技術の使用に関する記録の情報公開請求をニューヨーク市警察に行なったが、同警察はこれを拒否。請求の上訴までも拒否したため、二〇二一年、両団体は市警察を提訴するに至った。ニューヨーク州第一審裁判所は、デモの際に使った顔認証技術に関する文書と電子メールの計二七〇〇点を開示するよう市警察に命じた。市民側の勝訴である。

「この裁判は、警察の透明性と市民への説明責任を問うものです。市警はこれまで市民の監視方法を明らかにしてきませんでした。それは民主主義への脅威です。ニューヨーク市民には、憲法修正第一条の自由に基づいて声を上げる際、どのような監視や取り締まりを受けているかを知る権利があります。今回の判決は、今後、監視技術の乱用に歯止めをかけるという意味でも重要です」（カーン氏）

警察権力による監視への抵抗に加え、米国はじめ多くの国で、ビッグ・テックのターゲティング広告（今や「監視広告」と呼ばれる）への批判の声は高まりつづけている。米連邦取引委員会も国会議員も、本格的な規制強化や立法化に乗り出す。

二〇二二年八月、連邦取引委員会は「商業的監視と不十分なデータセキュリティの取り締まりに関する規則」というパブリック・コメントを行なった。[*8] 続々と届いたコメントは、便利で快適とされるデジタル世界のなかで、日々困惑し、経済的・社会的に不利益をこうむっている人々の生の声で溢れている。以下はそのなかからの抜粋である。

「二〇年以上にわたって、シリコンバレーは合法・非合法に関わらず、米国の消費者に関する大量のデータを収集し、消費者を『グループ化』するための技術をつくりあげました。これらのグループはマーケティングのためのもので、企業に数百万ドルで販売されています。

ＡＤＨＤ（注意欠如・多動症）を持つ私は、この技術の犠牲になることが多くあります。ＡＤＨＤの消費者が次のような特徴を持つことは広く知られています。

- 衝動的な購入
- 複数のパスワードの紛失とリセット
- 長くて退屈なキー操作に気を取られやすい
- 複数の電子メールを持つ
- サブスクリプションの登録に気づかない

弱者へのダークパターン（利用者を意図的に騙すデザイン）を使用するソフトウェアを開発する大手ＩＴ企業や非倫理的な心理学者は、『人々を助ける』と誓いながら、実は認知障害に苦しむ人々の行動を売り込み、搾取したのです」（Ｒ・ハッベル氏[*9]）

「雇用や融資申し込みから判決、仮釈放の決定まで、あらゆる判断にアルゴリズムが使用されていることを懸念しています。最近ではカリフォルニアの病院が、スタンフォード大学の研究者が開発したアルゴリズムを用いて病状悪化の可能性を予測し、患者やその家族に医療を継続するかどうかのアドバイスをしています。アルゴリズムが正確かどうかを評価する対照研究なしに導入することを懸念しています。連邦取引委員会はこれを規制すべきです。なぜなら、人々の生活が、見ることも理解することも反論することもできないデータによって、大きく左右されているからです」（ジュリー・バーンスタイン氏[*10]）

「子どもたちは、いかなる状況においても、保護者の明示的な同意なしに、データ・マイニング、追跡、記録をされるべきではありません。子どもに関するすべてのデータは、非常に具体的かつ限定的な方法で使用許可を与えられるべきです。子どもたちは誰かの所有物ではなく、まして政府や学校の所有物でもありません。これ以上、子どもたちのデータ収集を許さないでください」（アレシア・ボート氏[*11]）

「私は、二〇一七年の消費者信用情報会社エキファックス事件（不正アクセスにより一億四〇〇〇万人の機密情報が流出した事件）の被害にあった一人です。いったん漏洩した個人識別情報は、何年にもわたって悪用される可能性があります。私たちは、移動、信仰、友人、月経周期、ウェブ閲覧、顔など、生活の基本的部分を含め、アイデンティティの一部を構成するさまざまな個人識別情報を企業に提供しています。これらのデータが流出すると、消費者の人権が脅かされることになります」（アルティ・ラーマン氏[*12]）

規制の強化とデジタル立憲主義

こうした声が後押しする形で、政府、そして州・自治体はビッグ・テックへの規制を強化してきた。

二〇二二年八月二九日、カリフォルニア州議会は、一八歳未満の未成年者に対し広範なオンライン保護を行なう法案「カリフォルニア年齢適正デザインコード法」を三三対〇の満場一致で可決した。ソーシャルメディア企業や他のオンラインサービスに対し、未成年の利用者の保護を義務づけるもので、見知らぬ人とのメッセージのやりとりなどがもたらすリスクを抑制するとともに、未成年者のデータの収集や使用を制限する。違反には被害を受けた未成年一人につき最高七五〇〇ドルの罰金を科される（二〇二四年七月一日に施行予定）。英国の「オンライン安全法」を手本にしたものだ。

規制強化の動きとともに、自治体や連邦政府がビッグ・テックを提訴するケースもこの数年で急増している。二〇二〇年一〇月、米国司法省は、グーグルが検索市場で自社サービスを優遇したとして、反トラスト法違反で同社を提訴した。一二月にはテキサス州など一〇州も、広告で競合を排除したとして同社を提訴。フェイスブックに対しても連邦取引委員会とニューヨーク州など四八州・準州・特別区の司法長官が反トラスト法違反だと提訴している。自治体レベルを含めた規制強化と提訴の動きは、今後も加速することは間違いない。

欧州では二〇一〇年代以降、デジタル分野での包括的なルール形成が大きく進んだ。第2章などで言及したEU一般データ保護規則（GDPR）やAI規制案、そして二〇二二年一一月に施行されたデジタル・サービス法（DSA）、二〇二三年五月に施行されたデジタル市場法（DMA）だ。

DSAは、大手プラットフォーム企業に対してアルゴリズムの透明性向上を求めるほか、違法とみなされるコンテンツや製品の削除機能の強化、そして人種や性的指向、所属政党などのセンシティブな情報に基づく広告表示の制限を義務づける。また、ダークパターンや子どもを対象にした広告も禁止される。この規制を遵守しない場合、最大で世界売上高の六パーセントの罰金が科される可能性がある。つまりは、個々の規制にとどまらない包括的なルールであり、ビッグ・テックへの最大級のカウンターとなる。DSAが国際的な基準となれば、デジタル分野における国家と企業、そして市民社会の関係性が大きく変わることは間違いない。

こうした規制や裁判に加え、ここ数年で欧州の研究者たちが牽引する形で展開されているのが「デジタル立憲主義」の議論だ。巨大なビッグ・テックの力（場合によっては国家権力と結託して人々に危害を与える）を、EU基本権憲章における憲法的価値（人間の尊厳、自己決定、平等、プライバシーなど）に即して適切に規制するための法体系づくりをめざしている。日本で山本龍彦教授（慶應義塾大学）がAIなどの技術を「個人の尊重」や「幸福追求権」などの日本国憲法の理念に照らして検証・分析していることとも通じるものだ。デジタル空間に近代立憲主義の価値を埋め込む取り組みとして注目される。

集団行動の力

しかし、法規制などのルールだけで監視資本主義の根本的な変革ができるのだろうか。先述のデイヴィッド・ライアン教授が指摘する通り、監視資本主義と密接に関わる「監視文化」は、私たち一人ひとりが担い手となって日々営まれている。DSAにしても、欧州機関という強大な権力機構が執行権限を有するという点で、民主主義がどこまで運用を適切にコントロールできるのかという課題は残る。ビッグ・テックのロビイストたちは同法を何とか骨抜きにしようと、欧州機関の官僚や議員に働きかけを続けている。

DSAが合意された二〇二二年四月、ショシャナ・ズボフ教授はその意義を称賛し、策定に取り組んできた欧州議員や欧州委員会に最大級の言葉をもって敬意を表した。そのうえで、このように語った。

「これまで私たちは、あまりにも自己満足し、あまりにも無関心で、民主主義の制度を当然のものと考え、その脆弱性と脅威を理解していませんでした。私たちは闘わず、未来の傍観者になることを許してきたのです。しかし、この流れは変わりました。今日、私は、民主的秩序がこの争いに勝利すると、かつてないほど楽観的です。すべての道はいまや『政治』に通じています。つまり、『集団行動』と『立法』です。この三年間、民主主義の復活が顕著であり、かつてない大きな変化を起こしています」

ズボフ教授は、立法や規制に向かう前段階に生まれる集団行動の重要性を強調する。実際、多くの国でそれは無数に起こっていることだ。本書でもその具体的なケースを紹介してきたが、それらに共通する原動力は、デジタルの世界に「公正」と「倫理」、「社会正義」を求める力だ。

米国での顔認識技術禁止条例を求める運動は、単なるプライバシー保護ではなく、有色人種へのすさまじい差別への怒りが背景にある。アマゾン倉庫で働く労働者たちの組合結成は、コロナ禍で使い捨てのように扱われたエッセンシャル・ワーカーたちによる正当な要求だ。途上国では今、農業分野でのデジタル化がもたらされ、大量のプラットフォーム・ワーカーが生み出されている。さらにビッグ・テックはデジタル技術に不可欠な希少金属資源（その多くは途上国にある）の争奪戦を繰り広げている。グローバル・サウスの運動体はこれを「新たな植民地支配だ」と告発している。中国など強権的な政権の国では、労働者や市民たちは権力の目をかいくぐりながら連携と抵抗を進めている。

これらは単一の運動ではなく、組織形態や分野、活動スタイルの違いを超えて、それぞれの強みを生かしながら国境を越えてつながる。ビッグ・テックがカバーする領域は広く、技術的な専門性も必要であるため、当然の運動スタイルであると言えよう。

一つの例を挙げると、ブラジルではこうした集団行動の力を生かし、コロナ禍における政府と監視企業の横暴を封じ込めた事例がある。もともとブラジルは、インターネットの民主的なガバナンスについて先進的な取り組みをしてきた国だ。一九九五年には、多様な利害関係者で構成される「ブラジル・インターネット運営委員会」が設立され、二〇一四年には、当時のルセフ政権がインターネットにおける公民権フレームワークである「マルコ・シビル」を可決した。二〇一八年にはブラジル議会がGDPRの影響を強く受けた個人情報保護法を可決した。こうした背景には常に市民社会からのチェックと提言があり、日本の私たちが学ぶべきことが実に多くある。

しかしパンデミック下、ボルソナロ大統領は国民全体を対象に、データ収集および監視インフラの構築を始めた。大統領はすべての連邦機関に対し、国民の健康記録から生体認証情報に至る多様なデータを「市民基本台帳」に強制的に統合する法案（CBC法）に署名したのだ。議論や公の協議が一切ないまま署名されたこの法令に、多くの人々は驚いた。また政府は、プラットフォーム企業に都市部のヒートマップを作成させ、許可された数以上の人が集まっている場所を示させたり、移動の追跡を行なったりした。これらデータは規制の緩い企業に移転された。

これに対し、データプライバシー・ブラジル[*13]、インターネット・ラボ、インターネット運営委員会などの市民社会団体がまず反対の声を上げ、弁護士やジャーナリスト、リオ技術社会研究所などの研究機関も加わり、大規模な反対運動へと発展した。最終的には、軍内部からの批判に加え、システム開発を担当した技術者からも、透明性の欠如および自由とプライバシーへの脅威を指摘する声が上がり、CBC法の執行は棚上げとなった。まさに集団行動の勝利である。各国内だけでなく、「ラテンアメリカの監視・技術・社会研究ネットワーク」[*14]のような国境を越えた研究者・技術者などの取り組みも活発だ。

もう一つの希望のありか

集団行動と規制に加え、「自前の技術」という可能性にも触れておく必要があるだろう。

ここでいう自前の技術とは、協働と共有、倫理、社会正義などの価値に基づく、誰にでも開かれたオルタナティブな選択肢としての技術である。「シビルテック」「シビック・ハッカー」などの言葉で近年注目されてもいる。すでに、グーグルではない検索エンジン「ダックダックゴー」や、ズーム以外のウェブ会議用システム「ジッチミート」などがあるが、いずれも監視をしない（利用者のデータ収集も第三者提供もしない）、セキュリティが高く、オープンソースで無料という特徴を持つ。

プラットフォーム・ビジネスにおけるＡＩやアプリを使った搾取的な労働が増加するなか、「プラットフォーム協働主義」[*15]という考え方も登場し、ビッグ・テックに依存しない技術や働き方が実践されている。協同組合がタクシーやフードデリバリーサービスを立ち上げ、自前のアプリを使って地域経済と雇用を守ろうとする動きだ。たとえばブラジルでは、市民社会組織と研究者・技術者が協力し、コロナ禍で食料の調達が困難となった地域のために配送アプリを開発。ブラジルの農業組合とタクシー組合を巻き込んで食料の販売・配送を行なった。

ビッグ・テックのロビー活動の主戦場であるブリュッセルでも興味深い実践がある。二〇二〇年一二月、経済移行研究省は、地元のＮＧＯと協力して「マイマーケット・ブリュッセル」という購入サイトを立ち上げた。アマゾンと同様の仕組みだが、決定的に異なるのは、地元の商店が出店し、配送も地元の自転車配送協同組合が行なう点だ。独自のオンライン・ストアを構築する技術や資金がない小規模商店には、マイマーケットが公共のデジタル・インフラを提供する。アマゾンでもウーバーでもない、デジタルのインフラストラクチャーの公的所有をめざす。[*16]

デジタル・プラットフォーム労働の特徴は、そこでのワーカーの存在、仕事内容、時間数などが「見えにくい」ということだ。第7章で述べた通り、米国の研究者メアリー・L・グレイとシッダールタ・スリはこの仕事を「ゴースト・ワーク」と名づけた。直近の研究では、世界で一億六〇〇〇万人がプラットフォームに登録していると推計される。賃金未払い、アカウントの停止、コンテンツ・モデレーターが負う精神的なショック、デジタル植民地とも言われる南北の非対称なビジネスモデルなど、多くの問題がある。この見えない労働を可視化するために提案され、すでに多くの実践がなされているのが、デジタル・プラットフォームのワーカーによる参加型のデータ・サイエンスだ。

デジタル・プラットフォーム労働では、労働者は自らを管理するアルゴリズムのシステムについて、実のところ知ることが困難だ。プラットフォームのアプリは、注文の割り当てや報酬の提示、ルート指示などすべてのことを行なうが、配達員はそのデータやアルゴリズムにはアクセスできず、ただアプリの指示に従うしかない。たとえば、配達ルートを指示して監視するGPS追跡サービスは、効率的で安全なルートをよく知っている配達員の知識よりも優先され、追跡されたルートを遵守しないとプラットフォームから削除される可能性がある。

そこで配達サービスのデリバルーの配達員たちによって、二〇一九年にエディンバラで研究グループ「ワーカーによる調査」が設立された。[*17] 設立目的は、「一緒に都市を観察し、自営業やギグワークの条件に集団で挑戦し、私たちの労働をコントロールしよう」というものだ。2年間にわたり、労働者参加型の実験を行なった。配達員が日々街中を動きまわるなかで、今日はどこからどこまで走ったか、各配達でいくら報酬を得たか、昨日と今日で報酬はどのくらい違うかなど細かい記録を付け、集約して分析する。これによって給与データを追跡でき、空間・時間による給与の変動が分析できる。調査中、配達員や研究者グループはチャットグループやその他のSNSを通じて絶えずコミュニケーションを続け、オンライン・対面の両方で議論を重ねた。集めたデータを分析し、可視化できるデジタルツールも生み出されている。たとえば、労働時間を追跡するためのツールや、不払い賃金を計算するソフト、プラットフォームの労働条件を視覚化するためのアプリなどだ。「シビック・ハッカー（市民による技術者集団）」や研究者などがその開発に協力している。

このような取り組みは、孤立しがちなプラットフォーム・ワーカーが互いにサポートし合う能力を高めることが可能であると同時に、プラットフォームの隠された不公正なアルゴリズム・システムに抵抗し、異議を唱えることもできる。自分たちの仕事とそこで使用される知識の力関係を変えるこの試みは、ビッグ・テックが占有する技術への対抗案でもある。

こうしたオルタナティブの芽は、人々の生活の場や苦境から必然的に生み出されている。倫理的な技術を求める研究者・技術者が着実に増えていることは、大きな希望だ。

それを象徴するような出来事が二〇二一年九月八日、米国で起こった。グーグルとアマゾンの従業員数百人がデモを行なったのだ。抗議の対象は、二社がイスラエル政府と結んだクラウド技術の契約だ。一二億ドルのこの契約で、グーグルとアマゾンはイスラエルにクラウドやAIサービス、顔認識技術などを提供する。これをもとに実行される「プロジェクト・ニンブス」は、イスラエル軍によるパレスチナ人監視に利用される危険性があるとし、研究者・技術者を含む社員が反対の声を上げたのだ。

サンフランシスコでは、抗議者たちはまずグーグルのオフィスに集まり、アマゾンのオフィスまでの五ブロックをデモ行進した。中心の一人、元グーグル社員のアリエル・コレン氏は、

「グーグルの社員一人ひとりに、無関心よりも行動を選ぶよう呼びかけます」と訴えた。ユダヤ人であるコレン氏は、社内で親パレスチナの意見を発したことで海外転勤か失職かを迫られ、辞職の決断をした。その際の投稿で、彼女は「グーグルはパレスチナ人への人権侵害に加担し、人々の声を組織的に封じ込めている」と主張した。

このデモはニューヨーク、シアトル、ノースカロライナ州ダーラムの四都市にも広がり、「普段は敵対しているアマゾンとグーグルが、こんなふうに連帯するなんて！」「企業の壁を越えた勇気と行動は歴史的だ」と、社員たちが並ぶ写真がＳＮＳでも大きな話題になった。

もちろん、短期間ですべてが解決するはずはなく、むしろ強大なビッグ・テックの力を前に、無力感に苛《さいな》まれることのほうが多い。国家権力と監視資本主義は、この先も当面は「自由」を謳歌し、利益を得つづけるだろう。

しかし、かつての産業体制のなかでも、人々は数十年もの時間をかけて大資本を規制し、労働者のための権利を獲得し、消費者保護のルールをつくってきた歴史がある。私たちと巨大なシステムの力関係を変えることは、決して不可能ではない。

日本の私たちには、本書で紹介したさまざまな取り組み――集団行動、立法、自前の技術、そして倫理的な技術を求める研究者・技術者との連携のいずれも――について、世界から学び、やるべきことが山のようにある。

二〇二二年五月、ユネスコ世界報道の自由デー世界会議の開会スピーチにて、ズボフ教授は

「デジタルは民主主義の家に住まなければなりません。これからの数年間は厳しいものとなり、不屈の精神と決意が必要とされます」と、監視資本主義との闘いを厳しく展望した。[*18]

その演題は、「Democracy Can Still End Big Tech's Dominance Over Our Lives」。

私たちも、同じ決意をもってこの言葉を繰り返そう――ビッグ・テックによる私たちの生命の支配を終わらすことができるのは、やはり民主主義なのだ。

あとがき

「私たちの惑星の死滅が確実に思える時に、そもそもこの危機を招いた想像力から何らかの解決策が生まれることを期待できるだろうか？」

インドの作家・ジャーナリストであるアルンダティ・ロイ氏は、『民主主義のあとに生き残るものは』（岩波書店）のなかでこう問いかけた。植民地主義や利益優先のグローバル経済、開発独裁体制、富の不均衡など、世界の経済・政治・社会の欺瞞をきわめて原則的な立場から告発しつづけてきた彼女は、私が最も尊敬する女性の一人だ。彼女の視野には、本書で論じた監視資本主義やビッグ・テックによる市場の寡占、グローバル・サウスへの侵食も当然含まれている。

現在、複合的な危機のなかで私たちは生きている。気候危機、コロナ禍で経験した公衆衛生の危機、先行きが見えない経済、そして民主主義の危機である。本来、ロイ氏の言う通り私たちは「危機を招いた想像力」とは決別して、別の想像力を駆使して解決策を生み出す必要があるのだが、堅牢につくられた政治経済システムは、そこから逃れることを許さないどころか、物理的にも精神的にもより強く私たちを束縛しようとする。

市民社会の運動は、これでもかというほどの質量で展開したとしても、政策を動かし一歩前進の勝利を得られることはごく稀《まれ》だ。ことデジタルや科学技術の分野では、先進国でも途上国・新興国でも、企業や産業界、政府の力はあまりに大きく、議論のテーブルを設定すること自体に気の遠くなるほどのハードルが存在する。しかもこれらの取り組みは、既存の法や経済の枠組みのなかでの修正であることが多く、私たちはビッグ・テックの想像力の範囲内でただ動きまわっているだけなのかもしれない。

だがそれでも、私たちはデジタル社会における本質的なパワーシフトをあきらめることはないだろう。法や規制という解決策だけでなく、倫理的で公正な技術や、コモンズとしての技術、弱き者に力を与える技術、民主主義の発展に寄与する技術は、必ず私たちのこの世界に登場する。

私たちはその芽を世界のあちこちで感じ取ることができる。二〇二四年三月五日、ニューヨークでグーグルが資金提供するイスラエルの技術会合が開催された。グーグルのイスラエル支社の重役がスピーチしていた時、一人の若い男性が立ち上がり、それを中断させた。

「僕はグーグルクラウドのソフトウェア・エンジニアです。パレスチナでのジェノサイドに加担するテクノロジーの開発を拒否する！」

彼が警備員につまみ出されると、その直後にまた別の人物が同様の訴えを行ない、会場は騒然となった。会社側には一時の不協和音だろうが、この時の映像はＳＮＳで世界に拡散され、八〇〇万回以上再生されている。「人間の良心を取り戻せ」という訴えは、技術者・研究者を含む多くの人の心に届いたはずだ。

デジタル社会の終点はディストピアでもなくユートピアでもなく、人々が社会経済的に尊厳ある暮らしをし、未来に希望を抱ける当たり前の社会であるべきだ。私たちの世代で実現できなければ、次の世代、そしてまた次の世代へと、変革のための力をつないでいこう。

本書は、雑誌『世界』（岩波書店）にて二〇二二年一月号から一一月号までに行なった連載「デジタル・デモクラシー――ビッグ・テックとの闘い」（全一〇回）に、最新情報を含め加筆・修正・再構成を加えたものである。また第7章「『ゴースト・ワーク』を可視化する」と第10章「スマートシティを民主化する」は書籍化にあたって書き下ろした。

長年の友人である熊谷伸一郎さんから約二年半前に『世界』での連載を提案いただかなかったら、本書がこうして世に出ることはなかった。その意味で本書は熊谷さんとの協働の成果でもある。しかも彼が独立し、地平社を創業する際の最初の書籍の一つに加えていただけたことは、これ以上ない光栄である。また若い友人であり編集者である木村亮さんには、編集や校正など書籍化に向けた膨大な作業をしていただいた。お二人にあらためて御礼をお伝えすると同時に、「地球と平和について考えながら、言葉を編んでいきます」と掲げる新しい出版社・地平社を、一人の市民として心から応援したい。

二〇二四年三月二〇日　　内田聖子

本書で紹介した世界の市民社会組織、運動、独立系の研究機関・メディア

第１章　〈わたしの顔〉を取り戻せ！

アメリカ自由人権協会／American Civil Liberties Union (ACLU)
ウォール街を占拠せよ／Occupy Wall Street
ブラック・ライブズ・マター／Black Lives Matter
メディアの正義のためのセンター／Center For Media Justice
ACLU カリフォルニア／ACLU of California
警察による監視をコミュニティが統制しよう／Community Control Over Police Surveillance (CCOPS)
電子フロンティア財団／Electronic Frontier Foundation (EFF)
民主主義と技術のためのセンター／Center for Democracy and Technology (CDT)
未来のための闘い／Fight for Future
アラブ・アフリカコミュニティ全国ネットワーク／National Network for Arab American Communities (NNAAC)

第２章　監視広告を駆逐せよ

ビッグ・テックに抵抗するメインストリート／Main Street Against Big Tech
アカウンタブル・テック／Accountable Tech
電子プライバシー情報センター／Electronic Privacy Information Center (EPIC)
名誉毀損防止同盟／Anti-Defamation League (ADL)

第３章　キッズ・テック　狙われる子どもたち

バークレーメディア研究会／Berkeley Media Studies Group
カラー・オブ・チェンジ／Color Of Change
ユニドス US ／UnidosUS
デジタル・デモクラシーのためのセンター／Center For Digital Democracy (CDD)
消費者保護および執行のための国際ネットワーク／International Consumer Protection and Enforcement Network (ICPEN)
子ども広告審査ユニット／Children's Advertising Review Unit (CARU)
ソーシャルメディア被害者法律センター／Social Media Victims Law Center (SMVLC)
セーブ・ザ・チルドレン・ジャパン／Save the Children Japan

第4章　暗躍するデータブローカー

マークアップ／Markup
パブリック・シチズン／Public Citizen
米国消費者連盟／National Consumers League (NCL)
公正な未来の法／Just Futures Law
プライバシー・インターナショナル／Privacy International

第5章　アルゴリズム・ジャスティス

分散型人工知能研究所／Distributed Artificial Intelligence Research Institute (DAIR)
ブラック・イン・AI／Black in AI
プロパブリカ／ProPublica
人間の技術のためのセンター／Center for Humane Technology (CHT)
アルゴリズムの正義連盟／Algorithmic Justice League
黒人のためのデータ／Data for Black Lives
AI・ナウ・インスティテュート／AI Now Institute

第6章　小農民の権利を奪うデジタル農業

変革のためのIT／IT for Change
GRAIN
ビア・カンペシーナ／La Via Campesina
ETCグループ／ETC Group
食料主権のためのアフリカ連合／Alliance for Food Sovereignty in Africa
グローイング・カルチャー／Growing Culture
ファームハック／Farm Hack
小規模農民の運動／Movimento de Pequenos Agricultores (MPA)

第7章　「ゴースト・ワーク」を可視化する

ターコプティコン／Turkopticon
フォックスグローブ／Fox Glove
アムネスティ・インターナショナル／Amnesty International
フェアワーク（公正な労働）プロジェクト／Fairwork

第8章　ロビイストから民主主義を取り戻す

欧州企業監視／Corporate Europe Observatory (CEO)

ロビー・コントロール／Lobby Control
技術の透明性プロジェクト／Tech Transparency Project (TTA)
アルゴリズム・ウォッチ／Algorithm Watch
トランスペアレンシー・インターナショナル／Transparency International (TI)

第9章　アマゾン帝国を包囲する

アマゾン労働組合／Amazon Labor Union (ALU)
コレクティブ・アクション・イン・テック／Collective Action in Tech
真の変革のためのグーグル・ウォークアウト／Google Walkout For Real Change
プログレッシブ・インターナショナル／Progressive International
メイク・アマゾン・ペイ／Make Amazon Pay
アマゾンジャパン労働組合／Amazon Japan Labor Union
ラベルの裏側にある労働／Labour Behind the Label

第10章　スマートシティを民主化する

カナダ自由人権協会／Canadian Civil Liberties Association
テック・リセット・カナダ／Tech Reset Canada
ブロック・サイドウォーク／Block Sidewalk
MaRS ディスカバリー・ディストリクト／MaRS Discovery District
バルセロナ・コモンズ／Barcelona En Comú
恐れぬ自治体の国際ネットワーク／Fearless Cities: The Global Municipalist Movement
ノウルウェスト・メディア・センター／Knowle West Media Centre (KWMC)
デジタルの権利のための都市連合／Cities Coalition for Digital Rights (CCDR)

第11章　民主主義という希望

監視技術の監視プロジェクト／Surveillance Technology Oversight Project (S.T.O.P)
データプライバシー・ブラジル／Data Privacy Brasil
インターネット・ラボ／InternetLab
ブラジル・インターネット運営委員会／Brazilian Internet Steering Committee (CGI.br)
ラテンアメリカの監視・技術・社会研究ネットワーク／Rede latino-americana de estudos sobre vigilância,tecnologia e sociedade (lavits)

デジタル・デモクラシー

注

第１章　〈わたしの顔〉を取り戻せ！

＊1　顔認証に関する技術は、「顔認識＝顔を検知すること」「顔認証＝顔認識されたものを、一対一で照合すること」「顔識別＝顔認識された顔を、多数の顔データから合致するものを探し出すこと」と定義されるが、これらが混同され使われることも多い。本書では適宜使い分けるが、一般的な意味で使う場合は「顔認識」を用いる。

＊2　米国最大の人権擁護団体。https://www.aclu.org/

＊3　同市の条例については、公益社団法人自由人権協会による仮訳を参照。http://jclu.org/wp-content/uploads/2020/09/20200901San-Francisco-City-ACQUISITION-OF-SURVEILLANCE-TECHNOLOGY.pdf

＊4　BLM 運動については、アリシア・ガーザ著、人権学習コレクティブ監訳『世界を動かす変革の力──ブラック・ライブズ・マター共同代表からのメッセージ』（明石書店、2021 年）を参照。

＊5　https://www.aclunc.org/docs/20160325-making_smart_decisions_about_surveillance.pdf

＊6　https://www.aclum.org/en/resources-community-control-over-police-surveillance-ccops

＊7　https://proceedings.mlr.press/v81/buolamwini18a/buolamwini18a.pdf

＊8　https://www.markey.senate.gov/news/press-releases/senators-markey-and-merkley-and-reps-jayapal-pressley-to-introduce-legislation-to-ban-government-use-of-facial-recognition-other-biometric-technology

＊9　https://www.congress.gov/bill/116th-congress/house-bill/7120

＊10　https://www.wyden.senate.gov/news/press-releases/wyden-paul-and-bipartisan-members-of-congress-introduce-the-fourth-amendment-is-not-for-sale-act-

＊11　https://www.congress.gov/bill/117th-congress/house-bill/9061/text?s=1&r=9

＊12　https://www.banfacialrecognition.com/map/

＊13　https://www.technologyreview.com/2023/07/24/1076668/how-face-recognition-rules-in-the-us-got-stuck-in-political-gridlock/

＊14　同上。

＊15　https://www.nichibenren.or.jp/document/opinion/year/2021/210916.html

＊16　https://www.ppc.go.jp/files/pdf/kaoshikibetsu_camera_system.pdf
＊17　ショシャナ・ズボフ著、野中香方子訳『監視資本主義──人類の未来を賭けた闘い』東洋経済新報社 、2021 年。

第 2 章　監視広告を駆逐せよ

＊ 1　ターゲティング広告には主に、①利用者自身が登録した年齢や性別、居住地等による「属性ターゲティング広告」、②利用者の閲覧履歴や購買履歴などから興味関心・消費行動を類推する「行動ターゲティング広告」、③利用者が訪れた広告主サイトへの再訪を促す「リターゲティング広告」、④利用者の情報を利用せず、閲覧しているサイトのコンテンツに合った広告を配信する「コンテンツターゲティング広告」などの種類がある。
＊ 2　アドサーバー登場後、複数のウェブサイトの広告枠を束ね一括して広告を配信する「アドネットワーク」を運用する事業者や、「アドエクスチェンジ」と呼ばれる広告枠の取引を行なう事業者も登場する。このようにインターネット広告の世界では、各機能を持つ事業者が複数存在し、複雑なバリューチェーン、業界構造を形成している。
＊ 3　https://www.mainstreetagainstbigtech.org/
＊ 4　https://techcrunch.com/2021/10/21/accountable-tech-mainstreet-against-big-tech/
＊ 5　https://www.mainstreetagainstbigtech.org/storybook
＊ 6　https://www.jftc.go.jp/houdou/pressrelease/2021/feb/digital/210217_hontai_rev.pdf
＊ 7　https://eshoo.house.gov/media/press-releases/eshoo-schakowsky-booker-introduce-bill-ban-surveillance-advertising
＊ 8　同上。
＊ 9　https://www.soumu.go.jp/main_sosiki/kenkyu/sd_governance/index.html
＊10　経団連意見書（https://www.keidanren.or.jp/policy/2022/012.html）、新経済連盟意見書（https://jane.or.jp/proposal/theme/18056.html）など。
＊11　https://www.hhs.gov/sites/default/files/sg-youth-mental-health-social-media-advisory.pdf
＊12　https://time.com/6282893/surgeon-general-vivek-murthy-interview-social-media/
＊13　https://ctnewsjunkie.com/2023/12/08/advocacy-groups-urge-federal-intervention-in-medicaid-medicare-advertising-targeting-vulnerable-populations/
＊14　https://weis2017.econinfosec.org/wp-content/uploads/sites/6/2019/05/

WEIS_2019_paper_38.pdf

第３章　キッズ・テック　狙われる子どもたち

＊１　厚生労働省研究班（代表・尾崎米厚鳥取大学教授）調査、2018年8月31日公表。
＊２　https://democraticmedia.org/assets/resources/full_report.pdf
＊３　https://www.thelancet.com/article/S0140-6736(19)32540-1/fulltext
＊４　Kennedy, A., K. Jones and J. Williams (2019) "Children as Vulnerable Consumers in Online Environments," *Journal of Consumer Affairs*, Vol. 53: Number 4, 1478-1506.
＊５　https://www.unicef.or.jp/news/2020/0025.html
＊６　https://ico.org.uk/for-organisations/uk-gdpr-guidance-and-resources/childrens-information/childrens-code-guidance-and-resources/age-appropriate-design-a-code-of-practice-for-online-services/
＊７　https://socialmediavictims.org/
＊８　https://www.theguardian.com/technology/2023/oct/18/snapchat-sued-overdose-deaths
＊９　https://www.savechildren.or.jp/partnership/crbp/pdf/fm.pdf

第４章　暗躍するデータブローカー

＊１　https://www.pillarcatholic.com/
＊２　https://www.acxiom.com/
＊３　TEDxExeter での講演。https://www.youtube.com/watch?v=AU66C6HePfg
＊４　https://www.ftc.gov/system/files/documents/reports/data-brokers-call-transparency-accountability-report-federal-trade-commission-may-2014/140527databrokerreport.pdf
＊５　https://www.ftc.gov/system/files/documents/public_statements/311891/140527databrokers.pdf
＊６　https://themarkup.org/privacy/2021/04/01/the-little-known-data-broker-industry-is-spending-big-bucks-lobbying-congress
＊７　https://leginfo.legislature.ca.gov/faces/billNavClient.xhtml?bill_id=202320240SB362
＊８　https://www.whitehouse.gov/briefing-room/statements-releases/2023/08/16/readout-of-white-house-roundtable-on-protecting-americans-from-harmful-data-broker-practices/
＊９　https://www.theregister.com/2023/08/15/cfpb_data_broker_crackdown/
＊10　https://privacyinternational.org/sites/default/files/2018-11/08.11.18%20Fin

al%20Complaint%20Acxiom%20%26%20Oracle.pdf?ref=axion.zone

第5章　アルゴリズム・ジャスティス

＊1　DAIR設立時のプレスリリース。https://www.dair-institute.org/press-release
＊2　https://blog.rossintelligence.com/post/where-are-the-women
＊3　https://blackinai.github.io/#/
＊4　2017年4月、TEDでの講演。https://www.ted.com/talks/cathy_o_neil_the_era_of_blind_faith_in_big_data_must_end?language=ja
＊5　キャシー・オニール著、久保尚子訳『あなたを支配し、社会を破壊する、AI・ビッグデータの罠』インターシフト、2018年。
＊6　https://orcaarisk.com/
＊7　前掲注4。
＊8　https://eur-lex.europa.eu/legal-content/EN/TXT/?qid=1623335154975&uri=CELEX%3A52021PC0206
＊9　https://dataandtrustalliance.org/
＊10　https://dataplusfeminism.mit.edu/

第6章　小農民の権利を奪うデジタル農業

＊1　2023年3月、アジュール・ファームビーツをさらに進化させたシステムである「農業のためのアジュール・データ・マネジメント」に改変。
＊2　アマゾンが開発したクラウド・ソーシング・プラットフォーム。画像の選別やデータ分類など、AIが分類できない作業を世界中の個人に発注する。報酬の低さなどが批判されている。
＊3　https://washingtonmonthly.com/2021/06/27/the-worlds-most-important-war-on-big-tech-comes-from-india/
＊4　https://grain.org/en/article/6529-digital-fences-the-financial-enclosure-of-farmlands-in-south-america
＊5　https://www.maff.go.jp/j/press/y_kokusai/kikou/attach/pdf/230423-7.pdf
＊6　https://www.fao.org/documents/card/en?details=cb2186en%2f
＊7　https://openknowledge.worldbank.org/handle/10986/35216
＊8　https://www.etcgroup.org/sites/www.etcgroup.org/files/files/autonomy_in_the_face_of_agtech_en_v2.pdf

第7章　「ゴースト・ワーク」を可視化する

＊1　https://www.ilo.org/wcmsp5/groups/public/---dgreports/---dcomm/---publ/documents/publication/wcms_771749.pdf

* 2　https://open-research-europe.ec.europa.eu/articles/1-53
* 3　メアリー・L・グレイ、シッダールタ・スリ著、柴田裕之訳『ゴースト・ワーク――グローバルな新下層階級をシリコンバレーが生み出すのをどう食い止めるか』晶文社、2023年。
* 4　https://turkopticon.net/
* 5　https://www.coworker.org/petitions/end-the-harm-of-mass-rejections
* 6　https://www.theguardian.com/technology/2014/dec/03/amazon-mechanical-turk-workers-protest-jeff-bezos
* 7　https://hci.stanford.edu/publications/2015/dynamo/DynamoCHI2015.pdf
* 8　https://eur-lex.europa.eu/legal-content/EN/TXT/?uri=COM:2021:762:FIN
* 9　https://www.dol.gov/newsroom/releases/whd/whd20240109-1#:~:text=The%20new%20%E2%80%9Cindependent%20contractor%E2%80%9D%20rule,employee%20or%20an%20independent%20contractor.
* 10　https://casetext.com/case/otey-v-crowdflower-3
* 11　https://selenascola.com/overview-scola-v-facebook
* 12　https://www.impactfund.org/social-justice-blog/scola-v-facebook
* 13　https://www.mozillafestival.org/en/highlights/mozfest-house-kenya/
* 14　https://www.youtube.com/live/ledRDgfnjtk?app=desktop&feature=share&cbrd=1&ucbcb=1
* 15　https://peoplevsbig.tech/stop-facebook-from-silencing-whistleblower-daniel-motaung
* 16　https://fair.work/en/fw/homepage/
* 17　https://fair.work/en/fw/publications/work-in-the-planetary-labour-market-fairwork-cloudwork-ratings-2022/
* 18　https://longreads.tni.org/digital-colonialism-the-evolution-of-us-empire
* 19　https://projects.itforchange.net/state-of-big-tech/rise-of-the-platform-economy-implications-for-labor-and-sustainable-development-in-developing-countries/

第8章　ロビイストから民主主義を取り戻す

* 1　https://corporateeurope.org/en/2021/08/lobby-network-big-techs-web-influence-eu
* 2　https://www.techtransparencyproject.org/
* 3　https://www.techtransparencyproject.org/articles/googles-european-revolving-door
* 4　https://www.youtube.com/hashtag/saveyourinternet

＊5　https://www.euractiv.com/section/digital/news/how-youtube-makes-users-lobby-in-house-against-copyright-directive/
＊6　https://twitter.com/tomvalletti/status/1322204719033536515
＊7　https://corporateeurope.org/en/2021/08/lobby-network-big-techs-web-influence-eu
＊8　https://digital-strategy.ec.europa.eu/en/policies/digital-services-act-package
＊9　https://www.consilium.europa.eu/en/press/press-releases/2023/12/09/artificial-intelligence-act-council-and-parliament-strike-a-deal-on-the-first-worldwide-rules-for-ai/
＊10　https://corporateeurope.org/en/2023/02/sign-petition-trilogue-transparency
＊11　https://corporateeurope.org/en/2023/11/byte-byte
＊12　https://europeanaifund.org/newspublications/european-civil-society-on-the-ai-act-deal/
＊13　https://www.yomiuri.co.jp/science/20220124-OYT1T50108/
＊14　https://peoplevsbig.tech/10-point-plan

第9章　アマゾン帝国を包囲する

＊1　メーデーの行動としてアマゾン倉庫前で行なわれたスピーチ。
＊2　https://amazonlaborunion.org/
＊3　クリス・スモールズ氏のツイッター（2020年4月4日）　https://twitter.com/shut_downamazon/status/1246419535688859649
＊4　選挙を行なわず、多数の労働者の支持を集めた労働組合を使用者が任意に承認する方法もある。
＊5　https://www.vice.com/en/article/5dm8bx/leaked-amazon-memo-details-plan-to-smear-fired-warehouse-organizer-hes-not-smart-or-articulate
＊6　https://bamazonunion.org/updates/bamazon-union-update-11292021
＊7　https://collectiveaction.tech/2020/2020-a-year-of-resistance-in-tech/
＊8　https://googlewalkout.medium.com/if-we-had-a-say-this-wouldnt-have-happened-reflecting-on-the-googlewalkout-lawsuits-573574b82466
＊9　https://makeamazonpay.com/
＊10　フル・ガーメントのケースについては英国のキャンペーン団体「ラベルの裏側にある労働」のウェブサイトを参照。https://labourbehindthelabel.org/amazon-must-pay-all-its-workers/
＊11　https://diem25.org/yanis-varoufakis-calls-for-the-boycott-amazon-black-friday/

第 10 章　スマートシティを民主化する

＊1　https://www.waterfrontoronto.ca/sites/default/files/documents/overview-of-realignment-of-midp-threshold-issue-resolution.pdf

＊2　https://www.techresetcanada.org/

＊3　https://www.youtube.com/watch?v=4z0fVAsHFro&t=18s

＊4　https://www.thestar.com/news/gta/waterfront-toronto-ditches-sidewalk-labs-vision-of-high-tech-sensor-driven-smart-district-at-quayside/article_11adb556-dbe4-57dc-aa0d-2c0cff59f712.html

＊5　https://www.technologyreview.com/2022/06/29/1054005/toronto-kill-the-smart-city/

＊6　碁盤の目状に区分けされた区画の一部を一つのスーパーブロックとし、その内部の道路は地元住民の自動車、自転車、歩行者のみが通行できる。スーパーブロック内の道路はすべて一方通行で、速度も低速で制限される。これにより、以前は自動車に奪われていた道路が歩行者や自転車優先となり、公共スペースも確保される。

＊7　市内の駐車場にセンサーを設置し、利用状況のデータを収集し、利用者が無料アプリから空いている駐車スペースを検索して予約できるサービス。スムーズな駐車移動が図られ交通渋滞の緩和につながったほか、駐車スペースの利用率が上昇し駐車料金収入も増加した。

＊8　https://www.fearlesscities.com/

＊9　https://www.barcelona.cat/digitalstandards/en/init/0.1/index.html

＊10　https://kwmc.org.uk/

＊11　https://www.ideasforchange.com/

＊12　https://media.nesta.org.uk/documents/DECODE-2018_report-smart-cities.pdf

＊13　https://www.boston.gov/departments/new-urban-mechanics/smart-city-playbook

＊14　https://citiesfordigitalrights.org/

＊15　2004 年に設立された国際的な地方自治体の連合組織であり、世界 140 カ国から 24 万以上の都市・自治体が参加している。都市化やグローバリゼーションがもたらす課題に対する自治体の主張や取り組みを統合し、国際社会に発信することで、国連および関連機関に影響力を行使することをめざす。https://uclg.org/

第11章　民主主義という希望

＊1　https://www.vice.com/en/article/n7zevd/this-is-the-data-facebook-gave-police-to-prosecute-a-teenager-for-abortion

＊2　https://www.nytimes.com/2022/08/21/technology/google-surveillance-toddler-photo.html

＊3　https://europe-calling.de/en/europe-calling-dsa-deal/

＊4　https://www.pewresearch.org/wp-content/uploads/sites/8/2017/05/State-of-the-News-Media-Report-2011-FINAL.pdf

＊5　デイヴィッド・ライアン著、田畑暁生訳『監視文化の誕生――社会に監視される時代から、ひとびとが進んで監視する時代へ』（青土社、2019年）、ジグムント・バウマン、デイヴィッド・ライアン著、伊藤茂訳『私たちが、すすんで監視し、監視される、この世界について――リキッド・サーベイランスをめぐる7章』（青土社、2013年）。

＊6　https://www.amnesty.org/en/latest/news/2022/08/usa-nypd-black-lives-matter-protests-surveilliance/

＊7　https://www.stopspying.org/

＊8　https://www.ftc.gov/news-events/news/press-releases/2022/08/ftc-explores-rules-cracking-down-commercial-surveillance-lax-data-security-practices

＊9　https://www.regulations.gov/comment/FTC-2022-0053-0050

＊10　https://www.regulations.gov/comment/FTC-2022-0053-0085

＊11　https://www.regulations.gov/comment/FTC-2022-0053-0057

＊12　https://www.regulations.gov/comment/FTC-2022-0053-0030

＊13　https://dataprivacy.com.br/en/

＊14　https://lavits.org/en/lavits/

＊15　ネイサン・シュナイダー著、月谷真紀訳『ネクスト・シェア――ポスト資本主義を生み出す「協同」プラットフォーム』（東洋経済新報社、2020年）参照。

＊16　プラットフォーム協同組合の事例については以下を参照。https://platform.coop/

＊17　https://workersobservatory.org/

＊18　https://time.com/6173639/democracy-big-techs-dominance-shoshana-zuboff

内田聖子（うちだ・しょうこ）
NPO法人アジア太平洋資料センター（PARC）共同代表。自由貿易協定やデジタル政策のウォッチ、政府や国際機関への提言活動などを行なう。共著に『コロナ危機と未来の選択――パンデミック・格差・気候危機への市民社会の提言』（コモンズ、2021年）、編著に『日本の水道をどうする!?――民営化か公共の再生か』（同、2019年）。

デジタル・デモクラシー………ビッグ・テックを包囲するグローバル市民社会

2024年4月23日――初版第1刷発行

著者……………………内田聖子《うちだしょうこ》

発行者………………熊谷伸一郎

発行所………………地平社
〒101–0051
東京都千代田区神田神保町1丁目32番 白石ビル2階
電話：03–6260–5480（代）
FAX：03–6260–5482
www.chiheisha.co.jp

デザイン……………赤崎正一

印刷製本……………三晃印刷

ISBN978-4-911256-00-8 C0036

地平社 乱丁・落丁本はお取りかえします。